French Structures
in Review

Second Edition

S.A. Edwards
Professor of French
Nova Scotia Teachers College
Truro, N.S.

Copp Clark Pitman Ltd.

ISBN 0-7730-2606-1

Printed and bound in Canada

Copp Clark Pitman Ltd.

Preface

French Structures in Review is intended for students of French who have had previous training in the language and who wish to extend their control of French structure through a thorough review — or who want to reinforce what has been learned in the past.

The ability to use French actively has little to do with the learning of endless grammatical rules, but rather is linked to the formation of linguistic habits which have been imbedded so firmly that their function becomes automatic. This workbook has been designed to aid in the formation and reinforcement of such habits.

The exercises in *French Structures in Review* have been planned to provide the necessary practice for active assimilation of basic language structures. All exercises should be done orally whenever possible until the student can respond with fluency and ease; thereafter they should be done in written form for reinforcement and writing practice.

The author has chosen to make the question-answer drill the basis for most of the exercises. There should exist a dialogue between the voice of the exercise (teacher, recording, etc.) and the student. Even when working by himself or herself, a student should be able to imagine this "other voice" and perform as he or she would in real life. The student should carefully read the directions and examples which precede the exercises and follow the procedure established there.

The following procedure has been adopted to prevent a multiplicity of answers that might tend to confuse the student. This method provides an abundance of drill and practice in the use of all subject pronouns:

je	should elicit **tu**
tu	**je**
il, elle	**il, elle**
nous	**vous**
vous	**nous**
ils, elles	**ils, elles**

Examples:

Je parle français.

Bien sûr, **tu** parles français.

Tu parles anglais.

Mais oui, **je** parle anglais.

Vous parlez allemand.

Certainement, **nous** parlons allemand.

Elle parle italien.

Mais **elle** a toujours parlé italien.

In actual practice, of course, other possibilities exist, such as **je** eliciting **vous** as well as **tu**.

For the use of **tu** and **vous** in conversational French, the following well-known procedure should be followed:

Use **tu** when speaking to

a member of your family	a small child
a close friend (classmate)	an animal

Use **vous** when speaking to

an acquaintance	an older person
a stranger	several persons at once

It is not necessary to study the chapters in numerical order. The workbook has been written in such a manner that the user may select those sections which are the most important in a given situation. The Table of Contents and the Index should be used to locate sections dealing with specific structural problems.

French Structures in Review is accessible to students of various levels due to its basic high-frequency vocabulary. The author has taken special care to place the emphasis on the learning of French language patterns rather than on the acquisition of vocabulary. This feature enables the student to concentrate entirely on the assimilation of structure.

Built into the text is a program for self-testing consisting of fifteen units. These tests cover all of the major structures presented in the workbook. Answers to all tests and exercises are given in an appendix. There is a profile for recording the test scores at the back of the book.

French Structures in Review may be used in conjunction with a basic course and fulfills the need for a comprehensive workbook and grammar supplement. It may also be used as a regular review grammar, possibly in conjunction with readers. Finally, it may be used to excellent advantage as a remedial device in reviewing French grammar. For the individual student, it is a handy review tool and a ready reference book.

S.A.E.

Contents

Gender and the Definite Article

Masculine		**Feminine**	
Singular	le, l'	*Singular*	la, l'
Plural	les	*Plural*	les

1. In French, all nouns are either masculine or feminine. In the singular, the definite article **le** is used with masculine nouns and **la** with feminine nouns.

Le livre est ici.	*The book is here.*
Regardez **le** tableau.	*Look at the blackboard.*
Donnez-moi **le** crayon.	*Give me the pencil.*
Marie a **la** règle.	*Mary has the ruler.*
La chaise est là.	*The chair is there.*
La porte est ouverte.	*The door is open.*

2. When masculine or feminine nouns in the singular begin with a vowel or mute **h, le** or **la** is elided, i.e. the vowel is cut off and replaced by an **l'**.

L'homme est content.	*The man is satisfied.*
Regardez **l'**enfant.	*Look at the child.*
Il regarde **l'**autre image.	*He looks at the other picture.*
L'eau est froide aujourd'hui.	*The water is cold today.*

3. With plural nouns, both masculine and feminine, **les** is always used.

Les livres sont sur le pupitre.	*The books are on the desk.*
Les règles sont sur **les** cahiers.	*The rulers are on the notebooks.*
Les hommes sont heureux.	*The men are happy.*

4. At the beginning of a word, the letter **h** is not pronounced. This means that linking (the practice of pronouncing the final consonant of a word with the initial vowel of a following word) and elision are made directly onto the following vowel:

Les hommes	pronounced [lezɔm]
L'homme	pronounced [lɔm]

Elision is not used before the following words:

*la hache	*axe*	le hasard	*chance*
la haie	*hedge*	le héron	*heron*
la haine	*hate*	le hibou	*owl*
le hameau	*hamlet*	le hareng	*herring*
le héros	*hero*	la hâte	*speed, hurry*
le homard	*lobster*	la honte	*shame, disgrace*
le hangar	*hangar, shed*	le huit (mai)	*eighth (of May)*
le hockey	*hockey*	haïr	*to hate*
hors (de)	*out of, outside*	haut	*high, tall*

*Note: Linking is not made with these words [le aʃ] not [lez aʃ]

Exercices

1. Répondez à la question en employant **le, la, l'** ou **les** en imitant les exemples.

Exemples
Que regardes-tu? *image* → Je regarde l'image.
Qui voyez-vous? *amis de Jean* → Nous voyons **les** amis de Jean.

1. Qu'est-ce qu'il veut? *règle* Il veut _____

2. Sur quoi écrit-il? *papier* Il écrit sur _____

3. Qui est-ce que vous écoutez? *professeur de sciences* Nous écoutons _____
_____

4. Qui vois-tu? *cousin de M. Duhamel* Je vois _____
_____

5. Où allez-vous, Madame? *Hôtel Bonaventure* Je vais à _____
_____

6. Qu'est-ce que tu regardes? *mur* Je regarde _____

7. Qui es-tu? *fille de M. Leblanc* Je suis _____

8. Qu'est-ce que vous voulez? *résultats des examens* Nous voulons _____
_____

9. Quel sport est-ce que tu aimes? *hockey* J'aime _____

10. Quel jour est-ce aujourd'hui? *huit janvier* C'est aujourd'hui _____
_____

11. Qu'est-ce que tu cherches? *règle de Marie* Je cherche _____
_____

12. Qui est-ce? *directeur de l'école primaire* C'est _____

13. Que veut-elle? *bagages qui sont là-bas* Elle veut _____
_____

14. Qui veut-il voir? *enfants de M. Duval* Il veut voir _____

15. Quel crustacé préfère-t-il? *homard* Il préfère _____

16. Qu'entends-tu? *hiboux* J'entends _____

17. Qui admire-t-il? *auteur de ce roman* Il admire _____

18. Qui aime-t-il? *sœur de Jacques* Il aime _____

19. Qu'est-ce que tu écoutes? *disques français* J'écoute _____

20. Qui est-ce qu'ils voient? *autres garçons* Ils voient _____

The Indefinite Article

Masculine		Feminine	
Singular	**un**	*Singular*	**une**
Plural	**des**	*Plural*	**des**

1. In the singular, **un** is used before a masculine noun and **une** before a feminine noun.

Il a **un** livre.	He has a book.
Elle porte **un** chapeau.	She wears a hat.
Jeanne désire **un** cadeau.	Jean wants a gift.
Il prend **une** chaise.	He takes a chair.
Nous achetons **une** table.	We are buying a table.
Ils ont **une** fille.	They have a daughter.

2. **Des** *(some)* is used before a plural noun, whether masculine or feminine.

Il a **des** enfants.	He has (some) children.
Elles ont **des** livres.	They have (some) books.
Jean a **des** sœurs.	John has (some) sisters.

Exercice

1. Répondez à la question **Qu'est-ce que j'ai?** en employant **un, une** ou **des,** tel que voulu par le sens.

Exemple
Qu'est-ce que j'ai?
belle maison → Tu as **une** belle maison.   chemises neuves → Tu as **des** chemises neuves.

Qu'est-ce que j'ai?
1. petit frère _Tu as un petite frère_
2. sœurs _Tu as des sœurs_
3. pommes _Tu as des pommes_
4. livres d'histoire _Tu as des livres d'histoire_
5. jeune frère _Tu as un jeune frère_
6. amis nouveaux _Tu as des amis nouveaux_
7. bureau de travail _Tu as un bureau de travail_
8. belle auto _Tu as une belle auto_
9. billets de théâtre _Tu as des billets de théatre_
10. bon dictionnaire _Tu as un bon dictionnaire_
11. cousin français _Tu as un cousin français_
12. grand-mère âgée _Tu as une grand mère agée_

3

Contractions of the Definite Article

1. **à le** is contracted to **au:**
   Il parle **au** garçon.
   Il va **au** tableau.
   Jean va **au** cinéma.

   He speaks to the boy.
   He goes to the blackboard.
   John goes to the movies.

   > to the
   masculine

2. **à les** is contracted to **aux:**
   L'enfant parle **aux** hommes.
   Ils vont **aux** États-Unis.
   Elles parlent **aux** élèves.

   The child is speaking to the men.
   They go to the United States.
   They speak to the pupils.

3. **de le** is contracted to **du:**
   Il a le livre **du** garçon.
   Elle parle **du** père.
   Voilà le livre **du** maître.

   of the

   He has the boy's book.
   She speaks of the father.
   Here is the teacher's book.

4. **de les** is contracted to **des:**
   Elle parle **des** livres.
   J'ai les crayons **des** enfants.
   Regardez les stylos **des** élèves.

   She speaks of the books.
   I have the children's pencils.
   Look at the pupils' pens.

5. **à la** and **à l'** do not contract:
   Il parle **à la** dame.
   Paul va **à la** fenêtre.
   Elle parle **à l'**enfant.

   He speaks to the lady.
   Paul goes to the window.
   She speaks to the child.

6. **de la** and **de l'** do not contract:
   Je vois le père **de l'**enfant.
   Il prend le stylo **de l'**élève.
   Elle veut le livre **de la** petite fille.

   I see the child's father.
   He takes the pupil's pen.
   She wants the little girl's book.

Exercices

1. Employez **du, de la, de l'** ou **des,** tel que voulu par le sens.

   Exemples
   Que voyez-vous?   *le livre . . . professeur →*
   Nous voyons le livre **du** professeur.

   Que veut-il?   *le cahier . . . fille →*
   Il veut le cahier **de la** fille.

   1. Que veulent-ils?   *les livres . . . enfants*
      Ils ___veulent les livres des enfants___

4

2. Où allez-vous? *au restaurant . . . université*

Nous *allons au restaurant de l'université*

3. Qu'entendez-vous? *le chant . . . oiseau*

Nous _____

4. Que coupent-ils? *les branches . . . arbres*

Ils _____

5. Que cherchez-vous? *l'entrée . . . maison*

Nous _____

6. De qui parlez-vous? *l'auteur . . . livres*

Nous _____

7. Où va-t-il? *à la présentation . . . film*

Il _____

8. Qu'allons-nous visiter? *une partie . . . ferme*

Vous _____

9. Que demande le père? *le respect . . . enfants*

Il _____

10. Que désirez-vous afficher, Madame? *le prix . . . manteau*

Je _____

2. Répondez à la question **A qui donnes-tu de l'argent?** en employant **au, à la, à l'** ou **aux**, ainsi que dans l'exemple qui suit.

Exemple
. . . pauvre → J'en donne **au** pauvre.

1. . . . marchand _____

2. . . . hôpital _____

3. . . . élèves _____

4. . . . tante de Pierre _____

5. . . . jeune fille _____

6. . . . gagnant de la course _____

7. . . . membres de la classe _____

8. . . . pauvres _____

9. . . . enfant _____

10. . . . soldat blessé _____

3. Répondez à la question **Que voyez-vous?** en employant **le, la, l', les** et **du, de la, de l', des,** ainsi que dans l'exemple qui suit.

Exemple
. . . main . . . bébé   Nous voyons **la** main **du** bébé.

Que voyez-vous?

1. . . . fenêtres . . . église _____

2. . . . livre . . . étudiant _____

3. . . . entrée . . . hôpital _____

4. . . . haut . . . page _____

5. . . . chemin . . . montagne _____

6. . . . auto . . . jeune homme _____

7. . . . forme . . . dessin _____

8. . . . entrée . . . cour _____

9. . . . besoin . . . autres _____

10. . . . père . . . étudiante _____

4. Répondez aux questions suivantes en employant **du, de la, de l', d'** ou **des,** là où il convient.

Exemples
Qu'est-ce qu'il remarque?   *le tombeau . . . grand soldat* →
Il remarque le tombeau **du** grand soldat.

Qu'est-ce que la concierge ouvre?   *la porte . . . château*
La concierge ouvre la porte **du** château.

1. Qu'est-ce que tu entends?   *le son harmonieux . . . cloches*

   J' _____

2. Qu'est-ce qu'elle admire?   *la nouvelle robe . . . jeune fille*

   Elle _____

3. Qu'est-ce qu'elle demande?   *le prix . . . billets*

   Elle _____

4. Qu'est-ce qu'elle veut connaître?   *l'adresse . . . acteur italien*

   Elle _____

5. Qu'est-ce que l'étudiant cherche?   *le bureau . . . professeur*

   Il _____

6. Qu'est-ce que tu vois?   *le bateau . . . pêcheur*

   Je _____

7. Qui est-ce que tu veux rencontrer? *l'ami . . . jeune fille*

Je _____

8. Qu'est-ce que tu veux savoir? *le titre . . . chanson*

Je _____

9. Qu'est-ce qu'il craint? *le regard . . . chien féroce*

Il _____

10. Qu'est-ce qu'elle n'aime pas? *les bruits . . . grande rue*

Elle _____

11. Qu'est-ce qu'ils regardent? *la photo . . . actrice*

Ils _____

12. Qu'est-qu'il admire? *le courage . . . astronautes*

Il _____

Test

Score: ....

1. Répondez aux questions suivantes en vous servant de **le, la, l', les** et **du, de la, de l', des.**

Exemple
Qu'est-ce que Paul cherche? *bureau / professeur* →
Il cherche **le** bureau **du** professeur.

   1. Qui est-ce que Marie connaît? *ami / actrice*

      Elle _____

   2. Qu'est-ce que Jean cherche? *entrée / métro*

      Il _____

   3. Qu'est-ce que Louis veut? *adresse / auteur*

      Il _____

   4. Qui est-ce que Françoise admire? *amis / jeune fille*

      Elle _____

   5. Qu'est-ce que Jacques et Louise entendent? *sifflet / train*

      Ils _____

   6. Qui est-ce qu'elles attendent? *élèves / classe*

      Elles _____

   7. Qu'est-ce qu'elle craint? *bruit / tonnerre*

      Elle _____

8. Qu'est-ce qu'ils attendent? *arrivée / amis*

Ils _____

9. Qu'est-ce qu'elles admirent? *animaux / ferme*

Elles _____

10. Qu'est-ce que les étudiants n'aiment pas? *rentrée / classes*

Ils _____

2. Répondez aux questions en employant **à la, à l', au, aux, de la, de l', du** ou **des** en suivant l'exemple donné.

Exemple
Où est-ce que Paul va toujours? *école / village* →
Il va toujours **à l'**école **du** village.

1. A qui parle-t-il? *plus jeune fille / classe*

Il _____

2. A qui montre-t-elle souvent ses devoirs? *étudiants / lycée*

Elle _____

3. Où vont-ils souvent? *cinéma / ville voisine*

Ils _____

4. A qui parle-t-elle souvent? *père / enfant qui est malade*

Elle _____

5. Où allez-vous? *café / étudiants*

Nous _____

6. A qui envoie-t-elle ses devoirs? *professeurs / collège*

Elle _____

7. A qui parle-t-elle? *amis / jeunes filles*

Elle _____

8. A qui le professeur donne-t-il les résultats? *examens / étudiants*

Il _____

9. Où vas-tu souvent? *hôpital rendre visite / ami de Margot*

Je _____

10. Où allez-vous? *sortie / école pour y retrouver nos amis*

Nous _____

Marquez 5 points pour chaque réponse sans fautes.

The Partitive Article

1. We use the words "some" or "any" in English before a noun, to indicate a part of that which we cannot count. We also use "some" or "any" before a plural noun to indicate an indefinite number. In French, this "partitive" sense is expressed by using the partitive article. In English, "some" or "any" may sometimes be omitted, *but the partitive article must be used in French.* The partitive article is formed by **de** plus the definite article, thus:

Masculine
Singular **du, de l'**
Plural **des**

Feminine
Singular **de la, de l'**
Plural **des**

Donnez-moi **du** thé et **du** lait.	*Give me some tea and (some) milk.*
Avez-vous **des** crayons?	*Have you any (some) pencils?*
Que voulez-vous? Je veux **de la** crème.	*What do you want? I want (some) cream.*
Le professeur demande **de la** craie.	*The teacher is asking for (some) chalk.*

2. The partitive is expressed by **de** without the definite article:
When the noun is the direct object of a negative verb;

Nous n'avons pas **d'**enfants.	*We have no children.*

but

Il a **des** enfants.	*He has (some) children.*

When an adjective precedes the noun.

Nous avons **de** vieux portraits.	*We have some old portraits.*
Elle me donne **de** jolies fleurs.	*She is giving me some pretty flowers.*

3. The partitive article is omitted after expressions of quantity and number.

beaucoup **de** crayons	*many pencils*
combien **de** beurre?	*how much butter?*
assez **d'**argent	*enough money*
trop **de** lait	*too much milk*
un peu **de** pain	*a little bread*
un verre **de** vin	*a glass of wine*
une tasse **de** café	*a cup of coffee*

but

la plupart **du** temps	*most of the time*
bien **des** fois	*many times*

4. Nouns in the general and the partitive sense.

A noun is said to be used in the general sense when the sense is of "the whole" or "the entire". The definite article is used in French with a noun in the general sense.

Ils aiment **la** liberté.	*They love liberty.*
L'uranium est rare.	*Uranium is rare.*
Il aime **le** café.	*He likes coffee.*

When a noun is used partitively to indicate "a part" or "some of", then the partitive article is used in French.

Ils ont **du** café.	*They have (some) coffee.*
Il y a **des** animaux à la ferme.	*There are some animals on the farm.*
Il y a de l'uranium aux États-Unis.	*The United States has some uranium.*

Exercices

1. Répondez aux questions suivantes en employant des partitifs **de, du, de la, de l'** ou **des** ainsi que dans l'exemple.

Exemple
Qui est-ce que tu vois là-bas? *joueurs* →
Je vois **des** joueurs.

   1. Qu'est-ce que Jeanne achète? *oranges*

     Elle _____

   2. Qu'est-ce que ton père commande? *tabac américain*

     Il _____

   3. Qu'est-ce que vous voulez? *bas (pl.)*

     Nous _____

   4. Qu'est-ce qu'il demande? *réponses justes*

     Il _____

   5. Qu'est-ce que le professeur te donne? *bons devoirs*

     Il _____

   6. Qu'est-ce que vous leur offrez? *légumes et fruits*

     Nous _____

   7. Qu'est-ce que Joseph n'a plus? *amis*

     Il _____

   8. Qu'est-ce qu'il y a dehors? *chiens*

     Il y a _____

   9. Que voulez-vous? *beaucoup / argent*

     Nous _____

  10. Qu'est-ce qu'il y dans ton jardin? *beaucoup / roses*

     Il y a _____

2. Employez dans les répliques la forme correcte de l'article partitif comme dans l'exemple.

Exemple
J'aime le café. *bois* → Alors, tu **bois du** café.

   1. Il aime le lait. *veut* Alors, il _____

   2. Elle a vu les chandails. *veut* Alors, elle _____

   3. Il aime les pommes. *veut* Alors, il _____

   4. Ils aiment le café. *boivent* Alors, ils _____

   5. Je préfère la viande. *manges* Alors, tu _____

   6. J'aime les oranges. *achètes* Alors, tu _____

   7. Elle aime le café. *boit* Alors, elle _____

   8. L'or est rare. *désire* Alors, il _____

   9. Elle aime la limonade. *boit* Alors, elle _____

 10. J'aime le thé. *bois* Alors, tu _____

 11. Elle préfère les robes de soie. *achète* Alors, elle _____

_____

 12. Elles aiment le pain blanc. *mangent* Alors, elles _____

_____

The Interrogative Form

Questions are asked in the following ways:

1. **Est-ce que** is placed before the statement, without altering the order of words in the statement.

    Est-ce que vous avez un stylo?   *Have you a pen?*

2. The pronoun and the verb are inverted, with a hyphen between.

    Avez-vous une règle?   *Have you a ruler?*
    Note: Prend-il du café? (**d** is pronounced **t**)   *Does he take coffee?*

If the third person singular of the verb ends in a vowel, add **-t-** before **il** or **elle**.

    Va-t-il au cinéma ce soir?   *Is he going to the movies this evening?*
    Parle-t-elle français?   *Does she speak French?*

In common usage, inversion with **je** in the present indicative is not found with any regular verbs and with only a very limited number of irregular verbs such as **être, avoir, devoir, pouvoir, aller, voir.**

    Est-ce que je te comprends bien?   *Do I understand you correctly?*
    Est-ce que j'ai le droit de parler?   *Have I the right to speak?*

    Suis-je heureux?   *Am I happy?*
    Dois-je le faire?   *Must I do it?*

In the second and third persons, either form may be used.

    Est-ce que tu parles?   *Are you speaking?*
    Parles-tu?

3. If the subject is a noun,

a pronoun may be added to represent the subject and the inverted form is used,

    Mon frère **est-il** ici?   *Is my brother here?*

or **est-ce que** may be used.

    Est-ce que mon frère est ici?   *Is my brother here?*

4. The question without **Est-ce que** and a rising inflection is used especially in conversation. The word order is the same as that in an assertive sentence.

    Il va au cinéma ce soir?   *Is he going to the movies tonight?*

Note: An affirmative answer to a negative question (or statement) requires **si** instead of **oui**.

    Tu ne parles pas français?   *You don't speak French, do you?*
    Si, je parle français.   *Yes, I speak French.*

Exercices

1. Posez une question qui correspond à la réponse suggérée en vous servant de **est-ce que . . . avoir.**

Exemples

Oui, j'ai du tabac. → Est-ce que tu as du tabac?
Oui, tu as le cahier. → Est-ce que j'ai le cahier?

1. Oui, nous avons raison.   (use *vous*) _____

2. Oui, mes parents ont une auto. _____

3. Oui, vous avez ma permission.   (use *nous*) _____

_____

4. Oui, j'ai hâte de revenir.   (use *tu*) _____

5. Oui, M. Lebrun a un bureau. _____

6. Oui, ils ont des fruits. _____

7. Oui, vous avez le bon numéro.   (use *nous*) _____

_____

8. Oui, nous avons des rubans.   (use *vous*) _____

_____

9. Oui, le fermier déteste la saison des pluies. _____

10. Oui, tu as des cahiers. _____

2. Employez l'inversion dans les questions comme dans les exemples qui suivent.

Exemples

Demandez si . . .

Jean fait son devoir. → Jean fait-il son devoir?
Je suis heureux.   (use *tu*) → Es-tu heureux?

Demandez si (s'):

1. il gouverne son pays. _____

2. nous avons des devoirs.   (use *vous*) _____

3. elle aime ses amis. _____

4. nous sommes en retard.   (use *vous*) _____

5. il appelle sa mère. _____

6. nous sommes chez nous.   (use *vous*) _____

7. le professeur parle français. _____

8. elle répond aux lettres. _____

9. Irène veut ses notes. _____

10. le chien nage. _____

3. Posez des questions en utilisant (a) **est-ce que,** (b) **l'inversion,** (c) **l'intonation.**

Exemple
Demandez si nous parlons anglais. →
a) Est-ce que vous parlez anglais?
b) Parlez-vous anglais?
c) Vous parlez anglais?

1. Demandez si nous sommes fatigués.

   a) _____

   b) _____

   c) _____

2. Demandez si Emile regarde la photo.

   a) _____

   b) _____

   c) _____

3. Demandez s'il demande une réponse.

   a) _____

   b) _____

   c) _____

4. Demandez si nous venons avec lui.

   a) _____

   b) _____

   c) _____

5. Demandez s'il chante bien.

   a) _____

   b) _____

   c) _____

6. Demandez si Jean écrit à son oncle.

   a) _____

   b) _____

   c) _____

7. Demandez si elle apporte un dictionnaire.

   a) _____

   b) _____

   c) _____

8. Demandez si elle entend les oiseaux.

    a) _____

    b) _____

    c) _____

9. Demandez si nous visiterons la cathédrale demain.

    a) _____

    b) _____

    c) _____

10. Demandez si Marie a beaucoup de robes.

    a) _____

    b) _____

    c) _____

Test

Score: ....

1. Employez la forme correcte de l'article, comme dans l'exemple.

Exemple
J'ai / enfants. → J'ai des enfants.

  1. Il a / encre et du papier. _____

  2. Elle a / amis. _____

  3. Jean n'a pas / amis. _____

  4. Je ne veux pas / café à ce prix. _____

  5. Je n'ai pas / argent. _____

  6. Claire a beaucoup / travail à faire. _____

    _____

  7. Avez-vous trop / exercices à corriger? _____

    _____

  8. Il désire / crème pour son café. _____

    _____

  9. Oui, mais il n'a pas / café. _____

  10. As-tu assez / timbres? _____

2. Répondez affirmativement ou négativement à la question **Est-ce que tu as . . . ?** en employant la forme correcte de l'article selon le sens partitif ou général. Faites comme dans les exemples.

Exemples

café? →   thé? →
Oui, j'ai du café.   Non, je n'ai pas de thé.

1. amis partout?

   Oui, _____

2. ennemis dans cette ville?

   Non, _____

3. trop / travail à faire?

   Oui, _____

4. étudiants français dans ta classe?

   Oui, _____

5. enfants au lycée?

   Oui, _____

6. assez / argent pour vivre?

   Oui, _____

7. vieux portraits à la maison?

   Oui, _____

8. crème pour mon café?

   Oui, _____

9. liberté ici?

   Non, _____

10. toute / liberté possible?

    Oui, _____

11. beaucoup / exercices à faire?

    Oui, _____

12. billets pour mon ami?

    Non, _____

13. tabac dans ta tabatière?

    Oui, _____

14. assez / argent pour voyager?

    Non, _____

15. lait pour mon chat?

    Non, _____

16

3. Posez des questions en utilisant (a) **est-ce que** et (b) l'inversion.

Exemple

Demandez si nous chantons? → a) Est-ce que vous chantez?

b) Chantez-vous?

Demandez:

1. si nous avons un stylo.   (use *vous*)

   a) _____

   b) _____

2. si Jeanne parle français.

   a) _____

   b) _____

3. s'il a un cahier.

   a) _____

   b) _____

4. si je suis au bord de la mer.   (use *tu*)

   a) _____

   b) _____

5. si nous avons beaucoup de pommes.   (use *vous*)

   a) _____

   b) _____

6. si elles aiment danser.

   a) _____

   b) _____

7. si Marie parle à sa tante.

   a) _____

   b) _____

8. s'il entend le sifflet.

   a) _____

   b) _____

9. si j'ai un dictionnaire.   (use *tu*)

   a) _____

   b) _____

10. si je suis heureuse.   (use *tu*)

    a) _____

    b) _____

11. s'ils sont au cinéma.

    a) _____

    b) _____

12. si elles vont au bal ce soir.

    a) _____

    b) _____

13. s'ils écoutent un disque de Maurice Chevalier.

    a) _____

    b) _____

14. si nous sommes prêts.   (use *vous*)

    a) _____

    b) _____

15. si j'ai une cigarette.   (use *tu*)

    a) _____

    b) _____

Marquez $2\frac{1}{2}$ points pour chaque réponse sans fautes.

18

Cardinal and Ordinal Numbers

Cardinal Numerals

0	zéro	12	douze	31	trente et un	81	quatre-vingt-un
1	un, une	13	treize	32	trente-deux	90	quatre-vingt-dix
2	deux	14	quatorze	40	quarante	91	quatre-vingt-onze
3	trois	15	quinze	41	quarante et un	100	cent
4	quatre	16	seize	50	cinquante	101	cent un
5	cinq	17	dix-sept	51	cinquante et un	200	deux cents
6	six	18	dix-huit	60	soixante	201	deux cent un
7	sept	19	dix-neuf	61	soixante et un	1 000	mille
8	huit	20	vingt	70	soixante-dix	2 000	deux mille
9	neuf	21	vingt et un	71	soixante et onze	2 100	deux mille cent
10	dix	22	vingt-deux	72	soixante-douze	1 000 000	un million
11	onze	30	trente	80	quatre-vingts	1 000 000 000	un milliard

1. Insert **et** in 21, 31, 41, 51, 61, and 71:
   21 vingt **et** un
   71 soixante **et** onze

2. Insert a hyphen (except as in 1) between tens and units and in 70, 80, and 90:
   18 **dix-huit**   70 **soixante-dix**
   22 **vingt-deux**   90 **quatre-vingt-dix**

3. All exact multiples of 20 and 100 take **s**:
   quatre-vingts hommes   80 *men*
   trois cents femmes   300 *women*

   but

   quatre-vingt-dix hommes   90 *men*

   Note also that there is no **s** when these numbers are used to express dates or when they are used as ordinals:
   dix-neuf cent   1900
   à la ligne **quatre-vingt**   *at line 80*

4. **Mille** (1000) never takes an **s**:
   deux **mille** soldats   2 000 *soldiers*
   cinq **mille** livres   5 000 *books*

   Note: In dates, when **mille** is followed by one or more numbers, **mille** becomes **mil**:
   l'an **mil** neuf cent

When a number precedes **mille,** there is no change:
deux **mille** cent quarante

5. **Un million** and **un milliard** take **de** before a noun:
un million *de* soldats   1 000 000 *soldiers*

but

trois millions cinq cent vingt soldats   3 000 520 *soldiers*

6. **Cent** and **mille** are not preceded by an article:
Il a **cent** timbres.   *He has a hundred stamps.*
Il a **mille** timbres.   *He has a thousand stamps.*

7. The cardinal numerals indicate:

dates, except the first day of the month—
le **dix** janvier   *January 10th*
le **huit** septembre   *September 8th*
le **premier** mars   *March 1st*

the order of monarchs, except the first of the line—
Louis **Quatorze**   *Louis XIV*
Édouard **Sept**   *Edward VII*
François **Premier**   *Francis I*

age—
Elle a **dix-sept** ans.   *She is seventeen years old.*
Il a **cinquante** ans.   *He is fifty years old.*

measurement—
Ce bâtiment a **cent** pieds de hauteur.   *This building is one hundred feet high.*

Time of Day

The cardinal numerals are also used to express the time of day.

Quelle heure est-il?	*What time is it?*
Il est une heure.	*It is one o'clock.*
Il est deux heures cinq.	*It is five minutes past two.*
Il est deux heures quatorze.	*It is fourteen minutes past two.*
Il est deux heures un quart.	
Il est deux heures et quart.	*It is a quarter past two.*
Il est deux heures et demie.	*It is half past two.*
Il est trois heures moins vingt-cinq.	*It is twenty five minutes to three.*
Il est trois heures moins un quart.	
Il est trois heures moins le quart.	*It is a quarter to three.*
Il est trois heures moins cinq.	*It is five minutes to three.*
Il est trois heures.	*It is three o'clock.*
Il est midi.	*It is twelve o'clock noon.*
Il est midi et demi.	*It is half past twelve.*
Il est minuit.	*It is twelve o'clock (midnight).*
À quelle heure?	*At what time?*
Vers (les) trois heures.	*About three o'clock.*
Il est cinq heures du matin.	*It is five o'clock in the morning.*
Il est trois heures de l'après-midi.	*It is three o'clock in the afternoon.*
Il est neuf heures du soir.	*It is nine o'clock in the evening.*

Ordinal Numerals

1st	**premier, première**	9th	**neuvième**
2nd	**deuxième, second, seconde** (fem.)	10th	**dixième**
3rd	**troisième**	11th	**onzième**
4th	**quatrième**	12th	**douzième**
5th	**cinquième**	20th	**vingtième**
6th	**sixième**	21st	**vingt et unième**
7th	**septième**	81st	**quatre-vingt-unième**
8th	**huitième**	100th	**centième**
		1000th	**millième**

1. Ordinal numerals are formed by adding **-ième** to the last consonant of the cardinal numerals:

deux—**deuxième**   six—**sixième**
quatre—**quatrième**   onze—**onzième**

Exceptions:
un—**premier**   neuf—**neuvième**
cinq—**cinquième**

2. Unième is used only after **vingt, trente,** etc.:

vingt et unième   *twenty-first*
trente et unième   *thirty-first*

3. Second and **deuxième:**

Second is used when only two things are referred to:
J'ai deux volumes. Voilà le **second.**   *I have two volumes. There is the second.*

Deuxième is used when more than two things are referred to:
J'ai six volumes. Voilà le **deuxième.**   *I have six volumes. There is the second.*

4. Ordinal numerals agree with the noun in gender and number:
les premières chansons   *the first songs*

5. The ordinal numerals are used to express:

order:
la première page   *the first page*
le deuxième chapitre   *the second chapter*

fractions:
⅑ un neuvième   ⅒ un dixième
2⁄7 deux septièmes   ¼ un quart
⅓ un tiers   ½ un demi (la moitié)

6. **Demi** is used in arithmetical expressions, and in expressing the time of day:
dix plus un **demi**   *ten plus one half*
une heure et **demie**   *half past one*

Used as an adjective and preceding the noun, **demi** is invariable and the adjective and noun are hyphenated:
une demi-heure   *a half-hour*

When it comes after the noun, denoting an additional half, **demi** agrees in *gender only* with the noun:
trois heures et **demie**   *three hours and a half*

7. Cardinal numerals precede the ordinals in contrast to English word order:

les **trois premiers** jours   *the first three days*

8. In dates and the titles of monarchs, the cardinal is used except in expressing the word "first":

le **premier** juin	*June 1st*
le **trois** juin	*June 3rd*
Charles **premier**	*Charles I*
Elisabeth **deux**	*Elizabeth II*

Collective Numerals

1. Some are formed by adding **-aine** to certain cardinal numerals. In the case of **dix**, the **x** is changed to **z**. Collective nouns are followed by **de**. Except for une **douzaine** (12), they express a round number, not an exact figure.

deux **centaines** de garçons	*about two hundred boys*
avoir une **douzaine** d'années	*to be about twelve (years old)*
J'ai fait une **dizaine** d'exercices.	*I did about ten exercises.*

but

une **douzaine** d'oranges	*a dozen (exactly 12) oranges*

2. Note the following:

un millier	*about a thousand*
des milliers de soldats	*thousands of soldiers*
une unité	*a unit*
un couple (de), une paire (de)	*a couple, a pair; two of a kind*
un trio	*a trio*
une demi-douzaine	*a half-dozen*

Exercices

1. Répondez à la question **Combien y a-t-il de . . . ?** en employant **Il y a . . .** suivi du nombre indiqué.

Exemple
Combien y a-t-il de livres? (3) → Il y a **trois** livres.

Combien y a-t-il de (d'):

1. chaises? (5) _____

2. garçons? (100) _____

3. pages? (42) _____

4. livres? (1000) _____

5. chiens? (95) _____

6. hommes? (250) _____

7. étudiants? (200) _____

8. chansons? (22) _____

9. semaines? (52) _____

10. jours? (13) _____

11. années (21) _____

12. dollars? (100 000) _____

13. arbres? (81) _____

14. livres? (175) _____

15. jours? (90) _____

16. étudiants? (91) _____

17. exercices? (99) _____

18. fenêtres? (20) _____

19. soldats? (21) _____

20. professeurs? (22) _____

21. chats? (30) _____

22. pommes? (31) _____

23. crayons? (32) _____

24. timbres? (200) _____

25. crayons? (205) _____

2. Répondez aux questions en ajoutant une unité. (Ecrivez en toutes lettres)

Exemple
C'est le 2e étudiant? → Non, c'est le troisième.

1. C'est le 3e jour? _____

2. C'est la 8e page? _____

3. C'est la 16e leçon? _____

4. C'est la 20e journée? _____

5. C'est le 1er chapitre? _____

6. C'est le 3e dimanche? _____

7. C'est le 4e enfant? _____

8. C'est la 99e page? _____

9. C'est le 8e volume? _____

10. C'est à la 20e page? _____

3. Répondez aux questions suivantes en employant les réponses indiquées.

Exemple
Quand arrivera-t-il? *1 ᵉʳ juin* → Il arrivera le premier juin.

1. Quand célèbre-t-on Noël?   *25 décembre*

   _____

2. Qui épousa Catherine d'Aragon?   *Henri VIII*

   _____

3. Combien d'oranges veux-tu?   *12*

   _____ d'oranges.

4. Pendant combien de temps sera-t-il absent?   *¾ heure*

   _____

5. Quand partez-vous?   *9:30*

   Nous _____

6. Pour combien de temps stationnez-vous ici?   *½ heure*

   Nous _____

7. Quel leçon étudie-t-il maintenant?   *1 ᵉʳ*

   _____

8. Quand reviendra-t-il?   *à peu près 10 jours*

   _____

9. Combien d'oranges reste-t-il?   *⅓*

   _____

10. Quand la guerre éclata-t-elle?   *1939*

    _____

11. Quand célébra-t-on le centenaire?   *1967*

    _____

12. Quelle date est importante dans l'histoire de l'Acadie?   *1755*

    _____

Plural of Nouns and Adjectives

In general the plural of nouns and adjectives is formed by adding -s to the singular.

Exemple
La petite porte et la grande fenêtre.
Les petites portes et les grandes fenêtres.

1. Nouns and adjectives ending in -s, -x, or -z in the singular do not change in the plural:

la noix	les noix	le nez	les nez
le fils	les fils	gros	gros

2. Nouns and adjectives ending in -au, and -eu take -x in the plural:

le poteau	les poteaux	le feu	les feux

   Exceptions:

le pneu	les pneus	bleu(e)	bleu(e)s

3. Most of the nouns ending in -al change -al to -aux:

le journal	les journaux	l'animal	les animaux

   Exceptions:

le carnaval	les carnavals	le bal	les bals
le festival	les festivals		

4. Most nouns ending in -ail take -s in the plural:

le chandail	les chandails	le détail	les détails

   Exception

le travail	les travaux

5. There are seven nouns ending in -ou that take -x in the plural: bijou, caillou, chou, genou, hibou, joujou, pou

   The others in -ou take -s in the plural:

le sou	les sous	le fou	les fous

6. Several nouns form their plural irregularly:

l'œil   les yeux   le ciel   les cieux

Note:

les ciels (in paintings)

les ciels d'Italie   *the climate of Italy*

les ciels de lit   *bed canopies*

7. Adjectives ending in **-eau** form their plural by adding **-x** to the singular:

beau   beaux   nouveau   nouveaux

8. Adjectives ending in **-al** change **-al** to **-aux**:

principal   principaux   égal   égaux

Exceptions

fatal   fatals   glacial   glacials

final   finals   naval   navals

Note: The plural of **principale** (f.) is **principales.**

9. **Tout** (fem. **toute**) becomes **tous** (fem. **toutes**) in the plural.

Exercices

1. Répondez aux questions en employant la forme correcte du nom ou de l'adjectif comme dans l'exemple.

Exemple

Tu as une fille?   *deux* →

Oui, j'ai deux filles.

1. Tu as un chapeau? *trois*

   Oui, j' _____

2. Est-ce que tu connais un général? *plusieurs*

   Oui, je _____

3. Vois-tu ce cheval? *deux*

   Oui, je _____

4. Est-ce les conclusions de son étude? *principal*

   Oui, ce sont les _____ conclusions de son étude.

5. Est-ce qu'il y a un Français au Ministère? *plusieurs*

   _____

6. Avez-vous un chandail, vous deux? *deux*

   Oui, nous _____

7. Lis-tu le journal tous les soirs? *plusieurs*

   Oui, je _____

8. Ecris-tu un examen final chaque semestre, toi? *deux*

Oui, j'_____

9. Tu as un stylo bleu? *plusieurs*

Oui, j' _____

10. A-t-il un pneu Michelin? *quatre*

Oui, il _____

11. Est-ce son dernier mot sur la question? *final*

Oui, toutes ses décisions sont _____

12. Veux-tu un clou? *une douzaine de*

Oui, je _____

13. As-tu jamais assisté à un carnaval? *deux*

Oui, j' _____

14. Est-ce qu'elle désire un bijou? *plusieurs*

Oui, elle _____

2. Employez le mot indiqué au pluriel comme dans l'exemple.

Exemple
ami J'invite trois / à dîner. → J'invite trois amis à dîner.

1. *cheval* Les deux / tirent la voiture.

_____

2. *oiseau* Au printemps les / bâtissent leurs nids.

_____

3. *sœur* Ses trois / l'attendent.

_____

4. *noix* Je viens de recevoir un plat de/.

_____

5. *enfant* Les Melanson ont six / au collège.

_____

6. *neveu* Luc et Jean sont mes / du côté maternel.

_____

7. *chou* Joseph plante des / chaque année.

_____

8. *cheveu* Les / de Marie sont très lisses.

_____

27

9. *beau* Les / soirs d'été nous nous promenons.

_____

10. *américain* Les étudiants / reviennent de Paris.

_____

11. *nouveau* Nous avons besoin de / livres.

_____

12. *détail* Nous allons avoir des / intéressants.

_____

13. *bijou* Tous les / ont été enlevés.

_____

14. *chandail* Jacqueline préfère les / rouges.

_____

15. *journal* Emile lit ses / chaque soir.

_____

3. Répondez à la question en employant **tout, tous, toute** ou **toutes** devant le nom qui suit la question.

Exemple
Quand y allez-vous? *jours* → Nous y allons tous les jours.
Est-ce que je les connais? *sœurs* → Tu connais toutes les sœurs.

1. Que regarde-t-il? *poissons* Il _____

2. Que remporterons-nous? *victoires* Vous _____

3. Qu'est-ce que tu reconnais? *travail* Je _____

_____

4. Que veut-elle? *café*. Elle _____

5. Qu'est-ce que vous faites? *devoirs* Nous _____

_____

6. Qu'est-ce que tu désires? *argent* Je _____

7. Que chanterez-vous? *opéra* Nous _____

8. Qui est-ce qu'il attend? *artistes* Il _____

_____

9. A qui présentera-t-il des médailles? *vainqueurs* Il _____

_____

10. Avec qui prépare-t-il ce concert? *troupe* Il _____

_____

Feminine of the Adjective

The adjective, in French, agrees in gender and number with the noun it modifies. The feminine form of the adjective is usually made by adding **-e** to the masculine. If the masculine already ends in **-e,** the feminine is unchanged.

Exemples:
un manteau vert—une robe verte   **un jeune garçon—une jeune fille**

1. Adjectives ending in **-er** change **-er** to **-ère:**

dernier	dernière	léger	légère
cher	chère		

2. If the adjectives end in **-x,** change **-x** to **-se:**

heureux	heureuse	jaloux	jalouse
peureux	peureuse		

   Exceptions

doux	douce	faux	fausse

3. Those ending in **-f,** change **-f** to **-ve:**

neuf	neuve	actif	active
vif	vive		

4. Those ending in **-el, -eil, -il, -et, -en, -on,** and **-s** usually double the last letter before adding **-e:**

cruel	cruelle	ancien	ancienne
pareil	pareille	bon	bonne
gentil	gentille	gros	grosse
muet	muette		

5. Note the following irregular adjectives:

blanc	blanche	favori	favorite
sec	sèche	fou, fol	folle
grec	grecque	beau, bel	belle
public	publique	nouveau, nouvel	nouvelle
frais	fraîche	vieux, vieil	vieille
long	longue		

29

Exercices

1. Faites l'accord nécessaire comme dans l'exemple.

   Exemple
   Lui, il porte un habit vert. →
   Et elle, elle porte une robe verte.

   1. Lui, il est paresseux.

      Mais elle, elle n'est pas _____

   2. Mon complet est neuf.

      Et ma chemise aussi _____

   3. Ce dicton est faux.

      Et cette histoire aussi _____

   4. Jacques est muet.

      Et sa femme aussi _____

   5. Ce monsieur est beau.

      Oui, c'est un _____ homme.

   6. Cet étudiant est très intelligent.

      Et cette étudiante aussi _____

   7. C'est ton premier livre?

      Oui, et c'est aussi ma _____ leçon.

   8. Ce monsieur est jaloux.

      Mais sa femme aussi _____

   9. Quel beau repas!

      Et _____ soirée!

   10. Ce homard est frais, monsieur.

       Et cette truite est _____ aussi?

   11. C'est un bon roman?

       Oui, et c'est aussi une _____ histoire.

   12. Que le temps est doux!

       C'est vraiment une température _____

   13. Ce monsieur est grec?

       Oui, et sa femme aussi _____

   14. C'est un ancien élève de notre école.

       Et sa femme aussi est _____ de la même école.

15. C'est l'étudiant favori de la classe.

Et elle, c'est sans doute l'étudiante _____

2. Faites l'accord nécessaire comme dans l'exemple.

Exemple
Pauline est française. →
Et David aussi est français.

   1. Jean est heureux.

   Et Françoise aussi _____

   2. Ce jeune homme est gentil.

   Cette jeune fille aussi _____

   3. Cette table est ronde.

   Et cette nappe aussi _____

   4. Que ce monsieur est gros!

   Et cette dame aussi _____

   5. Ma grand-mère est vieille.

   Et mon grand-père aussi _____

   6. François est canadien.

   Jeanne aussi _____

   7. Le chien est noir.

   Et la chienne aussi _____

   8. Ce monsieur est très actif.

   Et sa femme aussi _____

   9. Ma chère tante sera là.

   Et ton _____ oncle aussi, j'espère.

   10. Le plancher est sec.

   Mais la porte n'est pas encore _____

Position of Adjectives

1. Generally, the adjective follows the noun:
    un livre intéressant   *an interesting book*
    un chien intelligent   *an intelligent dog*

2. The following adjectives nearly always precede the noun:

Masculine	Feminine
jeune	jeune
joli	jolie
court	courte
grand	grande
petit	petite
haut	haute
mauvais	mauvaise
vilain	vilaine
long	longue
cher	chère
gentil	gentille
bon	bonne
gros	grosse
sot	sotte
beau, bel	belle
nouveau, nouvel	nouvelle
vieux, vieil	vieille

    Before a masculine singular noun beginning with a vowel or mute **h**, **beau** becomes **bel, nouveau** becomes **nouvel** and **vieux** becomes **vieil**:
    un **bel** homme   *a handsome man*
    un **vieil** arbre   *an old tree*
    le **nouvel** an   *the new year*

3. Adjectives of colour, nationality, and physical quality are always placed after the noun:
    un livre **français**   *a French book*
    le tableau **noir**   *the blackboard*
    l'eau **chaude**   *the hot water*

4. Some adjectives have a certain meaning when they precede the noun and another meaning when they follow it. Usually, when the adjective follows the noun, the literal meaning of the adjective is intended.
    brave   C'est un homme **brave**.   *He is a brave man.*
                C'est un **brave** homme.   *He is a worthy man.*
    cher   un livre **cher**   *an expensive book*

	un **cher** ami	*a dear friend*
dernier	la semaine **dernière**	*last week*
	la **dernière** semaine	*the last week (in a series)*
propre	une maison **propre**	*a clean, tidy house*
	ma propre **maison**	*my own house*
seul	une personne **seule**	*a single person*
	une **seule** personne	*only one person*
ancien	C'est un **ancien** monument.	*It is an old monument.*
	C'est mon **ancien** professeur.	*He is my former teacher.*

5. The demonstrative, possessive, interrogative, and numeral adjectives precede the noun:

ce garçon	*that boy*	**quelle** femme?	*what woman?*
mon livre	*my book*	**deux** jours	*two days*

Exercices

1. Répliquez à la question et faites l'accord nécessaire comme dans l'exemple.

Exemple
Ce monsieur, c'est ton grand-père? *vieux* →
Oui, c'est mon **vieux** grand-père.

1. Cette dame, c'est ta grand-mère? *vieux*

   Oui, c'est _____

2. Cet homme, c'est ton oncle? *cher*

   Oui, c'est _____

3. Jeanne est étudiante? *bon*

   Oui, c'est _____

4. Ça, c'est ta voiture? *favori*

   Oui, c'est _____

5. C'est votre fille, Madame? *seul*

   Oui, c'est _____

6. Jeanne est actrice? *bon*

   Oui, c'est _____

7. Ça, c'est un crime? *cruel*

   Oui, c'est _____

8. On prononce cette lettre? *muet*

   Non, c'est _____

9. Jean Gabin était acteur? *beau*

   Oui, c'était _____

10. C'est votre amie qui vient? *grec*

    Oui, c'est _____

2. Répondez en mettant l'adjectif à la position convenable. Etudiez les exemples.

Exemples
Apporte-t-il le livre? *gros* →
Il apporte le **gros** livre.

Vois-tu le poteau? *rouge* →
Je vois le poteau **rouge.**

   1. Est-ce que Pierre chante une chanson? *belle*

     Il _____

   2. Est-ce que vous cherchez un garçon? *intelligent*

     Nous _____

   3. Voyez-vous ce brigand? *vilain*

     Nous _____

   4. As-tu une maison? *propre*

     J' _____

   5. Quelle route avez-vous suivie? *grande*

     Nous _____

   6. Aimes-tu l'auto? *petite*

     Je n' _____

   7. Avez-vous notre adresse? *nouvelle*

     Nous _____

   8. L'acteur, c'est un homme? *bel*

     Oui, _____

   9. Quel temps fait-il? *mauvais*

     Il _____

  10. Connais-tu cette ville? *espagnole*

     Non, je ne _____

3. Répondez aux questions suivantes en plaçant l'adjectif à la position convenable comme dans les exemples.

Exemples
Voulez-vous un cadeau? *beau* →
Oui, nous voulons un beau cadeau.

Est-ce que tu portes un chapeau? *rouge* →
Oui, je porte un chapeau rouge.

   1. As-tu un livre? *intéressant*

     Oui, j' _____

2. Reconnaissez-vous ce garçon? *américain*

Oui, nous _____

3. Ecrit-il à son ami? *vieil*

Oui, il _____

4. Est-ce que tu vois le chat? *méchant*

Oui, je _____

5. Buvez-vous de l'eau? *froide*

Oui, nous _____

6. Jean a-t-il un cahier? *neuf*

Oui, il _____

7. Vous rappelez-vous la tempête? *grosse*

Oui, nous nous _____

8. Est-ce que tu vas au banquet? *grand*

Oui, je _____

9. Avons-nous besoin d'un acteur? *jeune*

Oui, nous _____

10. Admire-t-il le professeur? *bon*

Oui, il _____

4. Répondez aux questions comme dans les exemples en employant **c'est** ou **ce sont** et en mettant l'adjectif à la position convenable.

Exemples
Est-ce que la fille est jeune? →
Oui, **c'est** une **jeune** fille.

Est-ce que les fenêtres sont propres? →
Oui, **ce sont** des fenêtres **propres.**

1. Est-ce que la nouvelle est mauvaise?

Oui, _____

2. Est-ce que l'actrice est jeune?

Oui, _____

3. Est-ce que le matador est mexicain?

Oui, _____

4. Est-ce que les pages sont propres?

Oui, _____

5. Est-ce que cette femme est tranquille?

Oui, _____

6. Est-ce que ses amies sont françaises?

Oui, _____

7. Est-ce que ce tour est grand?

Oui, _____

8. Est-ce que cet artiste est très habile?

Oui, _____

9. Est-ce que ce chemin est long?

Oui, _____

10. Est-ce que les étudiantes sont gentilles?

Oui, _____

5. Répondez en mettant l'adjectif à la forme convenable.

1. Qu'est-ce qu'on annonce?   *léger*

On annonce une brise _____

2. Qu'est-ce qu'il portera?   *neuf*

Il portera son chapeau _____

3. C'est une nouvelle coutume?   *vieux*

Non, c'est _____

4. Les deux pays signeront-ils une entente?   *nouveau*

Oui, _____

5. Nous y resterons pendant une année?   *complet*

Oui, vous _____

6. Ce jeune homme, c'est un acteur?   *bon*

Oui, c'est _____

7. Madame est malade?   *actif*

Non, elle _____

8. Halifax entretient un jardin?   *public*

Oui, _____

9. C'est le plus vieux de la famille?   *jeune*

Non, c'est _____

10. Je vous le répète pour la troisième fois.   *dernier*

Pour la _____ j'espère.

Test

Répliquez et insérez l'adjectif ou le nom dans la phrase.

Exemple
C'est une fille? *petit* →
Oui, c'est une petite fille.

1. Vous lisez après le dîner? *journal* (pl.)

Oui, nous _____

2. Tu vois les enfants? *tout*

Oui, je _____

3. Elle prépare ses examens? *dernier*

Oui, elle _____

4. Tu écris à ton père. *cher*

Oui, j' _____

5. Regardez-vous l'arbre? *beau*

Oui, nous _____

6. Travaillez-vous pendant la journée? *tout*

Bien sûr, nous _____

7. Il parle à un ami? *vieux*

Oui, il _____

8. Elle va au bal cette semaine? *bal* (pl.)

Oui, elle va à deux _____

9. C'est le drapeau, n'est-ce pas? *français*

Oui, _____

10. Jean a un chat? *noir*

Oui, il _____

11. C'est ton stylo? *favori*

Oui, c'est mon _____

12. Tu lis un livre? *intéressant*

Oui, je _____

13. Il aime les pommes? *frais*

Oui, il _____

14. Elle aime le thé? *chaud*

Oui, elle _____

15. Tu as vu ses cheveux? *blanc*

Oui, j' _____

16. Les classes commencent en janvier? *premier (le)*

Oui, elles _____

17. C'est un soldat? *anglais*

Oui, c'est _____

18. Quelle histoire! *long*

Mais c'est _____

19. C'est l'édition française? *dernier*

Bien sûr, c'est _____

20. Tu n'aimes pas les examens? *final*

Non, je n' _____

21. C'est une jeune fille? *actif*

Oui, c'est _____

22. Tu aimes la glace? *italien*

Oui, j' _____

23. Le jardin est ouvert? *public*

Oui, c'est un _____

24. La porte est rouge? *grand*

Oui, c'est une _____

25. Vous allez abattre cette chienne enragée? *vieux*

Bien sûr, nous _____

Marquez 4 points pour chaque réponse sans faute.

Voici, Voilà, and Il y a

1. **Voici** and **voilà** are used when the words "here" and "there" are stressed and the speaker can point to a person or object. They answer the questions: "Where is?" "Where are?" **Voici** indicates persons or objects nearer the speaker; **voilà** points out more distant objects or persons. These words include the verb, which should not be expressed a second time. [**Voici** is made up of **vois** and **ici** (*see here*); **voilà** is made up of **vois** and **là** (*see there*)]. **Voici** and **voilà** are both singular and plural.

Voilà mon ami Jacques.	*There is my friend James.*
Voici mon devoir.	*Here is my exercise.*
Voilà mes parents.	*There are my parents.*

Direct object pronouns are placed directly before **voici** and **voilà**.

Voilà mon ami.	Le voilà.
Voici ma femme.	La voici.

2. **Il y a** means "there is" or "there are" when no stress is laid on the word "there." It answers the questions: "Is there?" "Are there?" In other words, **il y a** merely indicates the existence of something.

Il y a un roman sur la table.	*There is a novel on the table.*
Il y a des enfants dans la rue.	*There are children in the street.*

It has only one form in each tense, but it is used with both singular and plural nouns.

Il y a	*There is, there are*
Il y avait	*There was, there were*
Il y aura	*There will be*
Il y aurait, etc.	*There would be, etc.*

In the combination **il y a** plus an expression of time, **il y a** means **ago**.

Il y a deux mois qu'il est arrivé.	*He arrived two months ago.*

Exercices

1. Répondez à la question **Où est . . .?** selon l'exemple.

Exemple
Où est ton devoir? →
Voilà mon devoir.

Où est . . .
1. Jeanne?

_____

3. le professeur?

_____

2. le garçon?

_____

4. l'étudiant?

_____

5. la photo?

_____

8. le peigne?

_____

6. la jeune fille?

_____

9. le pommier?

_____

7. la bicyclette?

_____

10. le billet?

_____

2. Répondez à la question **Qu'est-ce qu'il y a . . . ?** en imitant l'exemple.

Exemple
Qu'est-ce qu'il y a dans la salle de classe? *chaises* →
Il y a des chaises dans la salle de classe.

Qu'est-ce qu'il y a . . .
1. dans le pupitre? *livres*

_____

2. dans le café? *sucre*

_____

3. dans ce tiroir? *mouchoirs*

_____

4. dans cette soupe? *légumes*

_____

5. dans cette boîte? *bonbons*

_____

3. Répondez aux questions comme dans l'exemple.

Exemple
Quand l'avez-vous vu? *2 mois* →
Il y a deux mois que nous l'avons vu.

1. Quand avez-vous vu ce film? *6 mois*

_____

2. Quand êtes-vous allés en France? *2 ans*

_____

3. Quand es-tu venu à Montréal? *2 jours*

_____

4. Quand êtes-vous sortis? *2 heures*

_____

5. Quand l'avez-vous vu? *5 ans*

_____

4. Répondez à la question **Est-ce qu'il y a . . . ?**

Exemple
Est-ce qu'il y a une étudiante ici? →
Oui, **il y a** une étudiante ici.

Est-ce qu'il y a . . .

1. une jeune fille dans cette classe?

   Oui, _____

2. des Français ici?

   Oui, _____

3. congé demain?

   Oui, _____

4. du travail à faire?

   Non, _____

5. du sucre dans ce café?

   Non, _____

Conjunctive Personal Pronouns

1.

Subject			*Direct Object*		*Indirect Object*		*Reflexive Forms*	
Singular								
1st per.	**je**	*I*	**me**	*me*	**me**	*to me*	**me**	*myself*
2nd per.	**tu**	*you*	**te**	*you*	**te**	*to you*	**te**	*yourself*
3rd per.	**il**	*he, it*	**le**	*him, it*	**lui**	*to him*	**se**	*himself*
	elle	*she, it*	**la**	*her, it*	**lui**	*to her*		*herself*
Plural								
1st per.	**nous**	*we*	**nous**	*us*	**nous**	*to us*	**nous**	*ourselves*
2nd per.	**vous**	*you*	**vous**	*you*	**vous**	*to you*	**vous**	*yourselves*
3rd per.	**ils**	*they*	**les** (m.)	*them*	**leur** (m.)	*to them*	**se**	*themselves*
	elles	*they*	**les** (f.)	*them*	**leur** (f.)	*to them*		

Adverbial Pronouns
y to it, to them, there
en of it, of them, some, any

1. Before a vowel, **me, te, le, la** become **m', t', l'**:
Il **m'**aime. / *He likes me.*
Elle **l'**écoute. / *She listens to him.*

2. Use of **y**
Y is the equivalent of any preposition (except **de**) plus a noun that stands for a thing (but never for a person).
Il va au cinéma. / *He is going to the movies.*
Il **y** va. / *He is going there.*
Je pense à ces plans. / *I am thinking about those plans.*
J'**y** pense. / *I am thinking about them.*

But

Je pense à Marie. / *I am thinking about Mary.*
Je pense **à elle.** / *I am thinking about her.*
Il répond à Marie. / *He answers Mary.*
Il **lui** répond. / *He answers her.*

3. Use of **en**
En is the equivalent of **de, du, de la, des,** plus a noun that stands for a thing (and, rarely, for persons). **En** must always be used, although the idea for which it stands is not always expressed in English.

Je veux du pain.	*I want some bread.*
J'**en** veux.	*I want some (of it).*
Vous avez des stylos.	*You have some pens.*
Vous **en** avez.	*You have some (of them).*
Combien d'automobiles avez-vous?	*How many cars have you?*
Nous **en** avons deux.	*We have two (of them).*
Revient-il de France?	*Is he returning from France?*
Il **en** revient.	*He is returning from there.*

4. Position of object pronouns

The direct and indirect object pronouns and the reflexive pronouns precede the verb or the auxiliary.

Direct object pronouns:

Je **vous** remercie.	*I thank you.*
Il **m'a** vu.	*He saw me.*

Indirect object pronouns:

Il **me** parle.	*He speaks to me.*
Il **lui** a téléphoné.	*He called her (him).*

Reflexive pronouns:

Il **se** lève.	*He gets up.*
Nous **nous** amusons.	*We are enjoying ourselves.*

When there are two object pronouns before the verb, the following order is used:

me									
te		**le**		**lui**					
se	before	**la**	before		before	**y**	before	**en**	
nous		**les**		**leur**					
vous									

Marie **le lui** donne.	*Marie gives it to him (or to her).*
Ne **le lui** donnez pas.	*Do not give it to him (or to her).*
Est-ce que vous **les lui** donnez?	*Do you give them to him (or to her).*
Jean **me le** donne.	*John is giving it to me.*
Ne **nous les** donnez pas.	*Don't give them to us.*
Est-ce que vous **nous les** donnez?	*Are you giving them to us?*
Il y **en** a.	*There is (are) some.*
On ne doit pas s'**y** baigner.	*We are not allowed to swim there.*
Je peux **le** voir.	*I can see it.*

Note that with two verbs, the pronoun comes before the second verb which is in the infinitive form.

Affirmative command:

In the imperative, the pronouns follow the verb and are joined to it by hyphens. They are placed in the following order:

direct object before **indirect object** before **y** before **en**

The emphatic form of **me** or **te** (**moi, toi**) is used if these pronouns come last in an imperative.

Donnez-**le-lui.**	*Give it to him (her).*
Prêtez-**le-lui.**	*Lend it to him (her).*
Allez-**y.**	*Go (there).*
Donnez-**m'en.** (one hyphen only)	*Give me some.*
Lève-**toi.**	*Get up.*

When the imperative is negative, the pronouns assume their normal positions:

Ne **me le** donnez pas.	*Do not give it to me.*
Ne **m'en** envoyez pas.	*Do not send me any.*

Note:

1. **Two** pronouns beginning with the letter **l** always come **in alphabetical order:**

   Il **le lui** donne.   Elle **la leur** donne.   Elles **les leur** donnent.   Donnez-**la-lui**.   Ne **la lui** donnez pas.

2. When **one** of the pronouns or **both** pronouns do **not** begin with the letter **l**, they come **in anti-alphabetical** order:

   Il **me les** donne.   Elle **nous la** donne.   Ne **nous les** donnez pas.   Il **vous en** donne.   Il **y en** a.   Donnez-**m'en**.

   The only exception to rule 2 is found in the **affirmative command** when one of the pronouns begins with **l**.

   Donnez-**les-nous**.   Donnez-**le-moi**.

Exercices

1. Répondez à la question en remplaçant le nom en caractères gras par un pronom.

    Exemples
    Avez-vous **le livre?** → Oui, nous l'avons.
    Est-ce que tu étudies **la leçon**? → Oui, je l'étudie.

    1. Avez-vous mangé **le fromage**?   Oui, nous _____

    2. Voyez-vous **le défilé**?   Oui, nous _____

    3. Est-ce que tu veux **ces pommes**?   Oui, je _____

    4. Est-ce que j'interprète bien **la chanson**?   Oui, tu _____

    5. Les enfants apportent-ils **les fruits**?   Oui, ils _____

    6. Jean sert-il **le repas**?   Oui, il _____

    7. Attendez-vous **l'autobus**?   Oui, nous _____

    8. Marie et Joseph achètent-ils **la maison**?   Oui, ils _____

    9. Est-ce qu'il lave **les chemises**?   Oui, il _____

    10. Vendez-vous **cette voiture**?   Oui, nous _____

    11. Enlevez-vous **vos chaussures**?   Oui, nous _____

    12. Est-ce que tu dessines **la maison**?   Oui, je _____

    13. Est-ce que tu achètes **ces pommes**?   Oui, je _____

    14. Voulez-vous **ces livres**?   Oui, nous _____

    15. Aimez-vous **cette chambre**?   Oui, nous _____

2. Répondez à la question en remplaçant le complément de lieu par **y**.

    Exemple
    Vous marchez **dans le couloir**? → Oui, nous y marchons.

    1. Tu viens **à l'école**?   Oui, j' _____

    2. Tu cours **au magasin**?   Oui, j' _____

3. Jean va **à la porte**?   Oui, il _____

4. Pierre et Paul étudient **au salon**?   Oui, ils _____

5. Vous allez **à la soirée**?   Oui, nous _____

6. Marc va **à l'exposition**?   Oui, il _____

7. Je peux aller **à la danse**?   Oui, tu _____

8. Tu vas **à l'école**?   Oui, j' _____

9. Vous allez **à Cornwall**?   Oui, nous _____

10. Louis s'arrête **au magasin**?   Oui, il _____

11. Tu restes **à la maison demain**?   Oui, j' _____

12. Elle vient **à la campagne** avec nous?   Oui, elle _____

13. Nous invitons Emile **au restaurant**?   Oui, nous _____

14. Mon ami m'attend-il **chez vous**?   Oui, il _____

15. Tu vas **au cinéma**?   Oui, j' _____

3. Donnez une réponse négative à la question en remplaçant le nom complément par **en**.

Exemple
Tu reviens **de l'hôpital**? → Non, je n'en reviens pas.

1. Arrive-t-elle **de l'église**?   Non, elle _____

2. Est-ce que nous avons assez **d'argent**?   Non, nous _____

3. Es-tu sorti **de tes misères**?   Non, je _____

4. Avez-vous **du tabac**?   Non, nous _____

5. Ils arrivent **de St. Paul**?   Non, ils _____

6. Revient-il **de l'épicerie**?   Non, il _____

7. Veux-tu **des chocolats**?   Non, je _____

8. Jeanne revient-elle **du marché**?   Non, elle _____

9. Manges-tu **des pommes**?   Non, je _____

10. Voulez-vous **de la salade**?   Non, nous _____

4. Répondez à la question en employant **y** ou **en** dans la réponse comme dans les exemples.

Exemples
Vas-tu **en France** cet été? → Oui, j'y vais.

Voulez-vous **des pommes**? → Non, nous n'en voulons pas.

1. Allez-vous **en ville** ce soir?   Oui, nous _____

2. Vont-ils **au cinéma**?   Oui, _____

3. Es-tu content **de ton travail**? Oui, j' _____

4. Avez-vous **des allumettes**? Non, nous n' _____

5. Hélène va-t-elle **à Paris**? Oui, elle _____

6. Revient-elle **de Paris**? Oui, elle _____

7. Vous allez **au restaurant**? Oui, nous _____

8. Penses-tu **à ta carrière**? Oui, j' _____

9. Veut-elle **des bijoux**? Non, elle n' _____

10. Tu viens **de Paris**? Non, je n' _____

11. Déjeunez-vous souvent **au restaurant**? Oui, nous _____

12. Tu as **des problèmes**? Non, je n' _____

13. Allez-vous rester **ici** ce soir? Oui, nous _____

14. Mangez-vous **des escargots**? Oui, nous _____

15. Pouvez-vous me donner **des suggestions**? Oui, nous _____

5. Remplacez les mots en caractères gras par les pronoms convenables en ayant soin de bien placer ces pronoms dans la phrase.

Exemple
La jeune fille leur donne-t-elle **les cadeaux**? →
Oui, elle **les** leur donne.

1. Voulez-vous **des pommes**?

   Oui, donnez- _____

2. Tu veux **du café**?

   Oui, donne- _____

3. Joseph ne te donne-t-il pas **des cahiers**?

   Non, il ne _____

4. L'élève ne lui raconte-t-il pas **d'histoires**?

   Non, il ne _____ raconte pas.

5. Pouvez-vous me vendre **ce livre**, mademoiselle?

   Oui, je peux _____ vendre.

6. Suzanne s'achète-t-elle **une robe**?

   Oui, elle _____ achète _____.

7. Veut-il **les oranges**?

   Oui, donnez- _____

8. Présente-t-il **le gâteau à sa mère**?

   Oui, il _____ présente.

9. Ne leur donnez-vous pas **l'argent**?

   Non, nous ne _____ donnons pas.

10. Alice lui offre-t-elle **la récompense**?

    Oui, elle _____ offre.

6. Répondez aux questions suivantes en employant des pronoms à la place des noms compléments.

Exemples
Est-ce que tu me donnes des timbres? →
Bien sûr, je t'en donne.

Hélène lui donne-t-elle le livre? →
Oui, elle le lui donne.

1. Lui demande-t-il la permission?

   Bien sûr, il _____

46

2. Donne-t-il le courrier à Jean?

Oui, il _____

3. Marie montre-t-elle le livre aux élèves?

Oui, elle _____

4. Est-ce que tu me rapportes la scie?

Bien sûr, je _____

5. Donnez-vous les oranges aux garçons?

Mais oui, nous _____

6. Est-ce que le professeur offre des cadeaux aux enfants?

Oui, il _____

7. Cet anniversaire te rappelle-t-il l'accident?

Oui, il _____

8. Y a-t-il des visiteurs au parc?

Evidemment, il _____

9. Lui prêtes-tu ton stylo?

Oui, je _____

10. Vous rappelez-vous ma visite?

Bien sûr, nous _____

Disjunctive Personal Pronouns

Singular		Plural
1st per.	**moi**	**nous**
2nd per.	**toi**	**vous**
3rd per.	**lui, elle, soi**	**eux, elles**

These pronouns are called *disjunctive* because they are "disjoined" from the verb. They are also called *emphatic* because they occupy a position of emphasis in the sentence. They may be given still more emphasis by adding même(s): **moi-même, toi-même, nous-mêmes,** etc.

Uses

1. Alone, when the verb is understood:
    Qui est là? **Moi.**   *Who is there? I.*

2. After **c'est** and **ce sont:**
    C'est **lui.**   *It is he.*
    Ce sont **eux.**   *It is they.*

3. In a compound subject:
    Lui et **moi,** nous étudions.   *He and I study.*

4. In a compound object:
    Je les vois, **lui** et **elle.**   *I see him and her.*

5. After a preposition:
    Il vient avec **moi.**   *He comes with me.*

6. In the second part of a comparison:
    Il est plus grand que **moi.**   *He is taller than I.*

7. For emphasis with a subject, direct or indirect object pronoun:
    Moi, j'étudie.   *I study.*
    Nous le lui avons dit, à **elle.**   *We said it to her.*
    Nous les voyons, **eux.**   *We see them.*

8. **Soi** is used:
after an indefinite pronoun:
    Chacun pour **soi.**   *Everyone for himself.*

after an infinitive preceded by an impersonal verb:
    Il faut penser à **soi-même.**   *One must think of oneself.*

Exercices

1. Répondez à la question en vous servant d'un pronom personnel disjoint comme dans les exemples.

Exemples
Viens-tu avec Jean? → Oui, je viens avec lui.
Est-ce ton amie? → Oui, c'est elle.

1. Ira-t-il avec Paul? Oui, il ira avec _____

2. Vient-il après David et Paul? Oui, il vient après _____

3. Sont-ce ses amis? Oui, ce sont _____

4. Penses-tu à ta fiancée? Oui, je pense à _____

5. Es-tu plus âgé que ta sœur? Oui, je suis plus âgé _____

6. Est-ce que Philippe est plus grand que toi? Oui, il est plus grand que _____

7. Est-ce Claudette et sa mère qui passent de ce côté? Oui, ce sont _____

8. Est-ce Irène qui arrive? Oui, c'est _____

9. Est-ce Jeanne qui étudie avec toi? Oui, c'est _____

10. Est-ce que c'est son fils qui demande cette permission? Oui, c'est _____

11. C'est Henri qui est déjà là? Oui, c'est _____

12. Parlez-vous du médecin? Oui, nous parlons _____

13. Est-ce Marie et Paul? Oui, ce sont _____

14. Allez-vous voir l'ambassadeur? Oui, nous allons chez _____

15. Tu vas au cinéma avec Jeanne et Michelle? Oui, j'y vais avec _____

2. Répondez à la question en employant un pronom personnel disjoint.

Exemple
De qui parlez-vous? *Jacques* → De **lui.**

1. Pour qui travaille-t-il? *Louis* _____

2. Qui peut faire cela? *Henri* _____

3. Qui n'entend pas? *Marie* _____

4. A qui pense-t-on surtout? *ses amis* _____

5. Chez qui allons-nous? *sa sœur* _____

6. Sans qui ne partirez-vous pas? *ma femme* _____

7. Qui est-ce? *Françoise et Hélène* _____

8. Qui profite de ce don? *l'auteur* _____

9. Qui ira en France avec Jean? *ses parents* _____

10. Avec qui irez-vous à la ville? *Arthur* _____

11. Qui parle français ici? *Louise* _____

12. Qui passe? *Je passe* _____

13. Pour qui faites-vous cela? *les joueurs* _____

14. Avec qui y allez-vous? *Jeanne et son amie* _____

15. Qui a fait ce gâteau? *Monique* _____

3. Faites les répliques comme dans l'exemple en remplaçant les mots en caractères gras par un pronom convenable.

Exemple
Jean et Louis vont avec **leurs amis.** →
Bien sûr, ils vont avec eux.

1. Emile et Jeanne retournent chez **leurs parents.**

Bien sûr, ils _____

2. Je demande **aux enfants** de venir.

Bien sûr, tu _____

3. Joseph donne de l'argent **à Isabelle.**

Evidemment, il _____

4. Nous irons chez **sa mère** demain.

Bien sûr, vous _____

5. Les mécaniciens n'ont pas **d'outils.**

Apparemment, ils _____

6. Les parents jouent avec **leurs enfants.**

Bon, ils _____

7. Les élèves admirent **la jeune artiste.**

Bien sûr, ils _____

8. Dites merci **à votre professeur.**

Bien sûr, disons _____

9. Mettez **les fleurs** dans le vase.

Bien sûr, mettons _____

10. Je voyagerai avec **Arthur et Paul.**

Evidemment, tu _____

11. C'est **ma fille** qui vous appelle.

Bon, c'est _____

12. Ne parle jamais **aux étrangers.**

Bien sûr, je ne _____

Test

1. Répliquez selon les exemples.

Exemple 1

Est-ce qu'elles mangent des pommes? →
Bien sûr, elles en mangent souvent.

1. Est-ce que tu regardes la photo?

Bien sûr, je _____

2. Est-ce qu'il voit sa sœur?

_____

3. Est-ce qu'il voit ses amis?

_____

4. Est-ce qu'il écoute la musique?

_____

5. Est-ce qu'elles prennent des bonbons?

_____

6. Est-ce que tu ouvres les valises?

Bien sûr, je _____

7. Est-ce qu'ils voient des films français?

_____

8. Est-ce qu'elles écoutent les chansons?

_____

9. Est-ce que tu fais des fautes?

Bien sûr, j' _____

10. Est-ce que tu vois ton ami?

Bien sûr, je _____

Exemple 2

Il donne le cadeau à l'étudiant. →
Evidemment, il le lui donne.

1. Il parle au garçon.

_____

2. Elle donne le cahier à l'étudiant.

_____

3. Elle donne les pommes au garçon.

_____

4. Ils parlent aux enfants.

_____

5. Elle nous rend les devoirs.

_____

6. Il présente le cadeau à la jeune fille.

_____

7. Elle offre les bonbons aux enfants.

_____

8. Il prend le gâteau.

_____

9. Il donne la pomme au cheval.

_____

10. Il me donne le couteau.

_____

2. Mettez les pronoms à droite dans l'ordre qui convient.

Exemple

Je te donne le livre. *le / me* →
Ah bon, tu me le donnes.

1. Je raconte l'histoire à Jean. *lui / la*

_____

2. Nous te donnons le colis. *me / le*

_____

3. Nous te montrons le manteau. *me / le*

_____

51

4. Qu'il y a des fraises ici!   *y / en*

_____

5. Nous leur donnons les oranges.   *leur / les*

_____

6. Ils nous prêtent de l'argent.   *en / vous*

_____

7. Jean nous donne les cahiers.   *vous / les*

_____

8. Ne leur vendez pas les exercices.   *leur / les*

_____

9. Nous lui donnons des cadeaux.   *en / lui*

_____

10. Elle nous envoie des cartes.   *vous / en*

_____

11. Jean nous donne le billet.   *le / vous*

_____

12. François lui prête le couteau.   *lui / le*

_____

13. Marie rend les devoirs aux professeurs.   *leur / les*

_____

14. Il m'envoie des roses.   *en / te*

_____

15. Marie leur envoie des bonbons.   *en / leur*

_____

16. Nous montrons les chandails aux acheteurs.   *leur / les*

_____

17. Nous donnons des bonbons au petit.   *en / lui*

_____

18. Je t'en donne.   *moi / en*

_____

19. Je ne lui prête plus d'argent.   *lui / en*

_____

20. Ne montrez pas l'examen à Jean.   *le / lui*

_____

Marques $2\frac{1}{2}$ points pour chaque réponse sans faute.

Interrogative Pronouns and Interrogative Adjectives

Interrogative Pronouns

1. **Qui**? or **qui est-ce qui**? (*who*?) is the subjective form, referring to persons. After this pronoun, the verb is in the singular.
   Qui parle?   *Who is speaking?*
   Qui est-ce qui parle?

2. **Qui**? or **qui est-ce que**? (*whom*?) is the objective form, referring to persons.
   Qui avez-vous vu?   *Whom have you seen?*
   Qui est-ce que vous avez vu?

3. **Qui**? (*whom*?) is the objective form, referring to persons, and is used after a preposition.
   A qui parlez-vous?   *To whom are you speaking?*

4. **Qu'est-ce qui**? (*what*?) is the subjective form referring to things.
   Qu'est-ce qui se passe?   *What is going on?*

5. **Que**? or **qu'est-ce que**? (*what?*) is the objective form, referring to things.
   Qu'avez-vous vu?   *What did you see?*
   Qu'est-ce que vous avez vu?

6. **Quoi**? (*what*?) is the objective form, referring to things and is used after a preposition.
   A quoi pensez-vous?   *What are you thinking about?*

7.

	Singular	Plural	
Masculine	**lequel**?	**lesquels**?	
Feminine	**laquelle**?	**lesquelles**?	*what? which? which one? which ones?*

Contractions with **de** and **à** are formed in the usual manner:

	Singular	Plural	
Masculine	**duquel**?	**desquels**?	*of which one? of which ones?*
Feminine	**de laquelle**?	**desquelles**?	
Masculine	**auquel**?	**auxquels**?	*to which one? to which ones?*
Feminine	**à laquelle**?	**auxquelles**?	

This form, which agrees with its antecedent, refers to persons and things.

Lequel de ces garçons chante?	*Which one of these boys (which boy of these boys) sings?*
Lesquelles de ces femmes travaillent?	*Which of these women (which women of these women) are working?*
Duquel de ces avocats parlez-vous?	*Which of these lawyers are you talking about?*
Auquel de vos frères écrivez-vous?	*To which one of your brothers are you writing?*

8. **Qu'est-ce que**? or **qu'est-ce que c'est que**? (*what is?*) is used when a definition or explanation is required.

Qu'est-ce que l'électricité?	*What is electricity?*
Qu'est-ce que c'est que l'électricité?	

Interrogative Adjectives

	Masculine			Feminine	
Singular	**quel**	(*what, which*)	*Singular*	**quelle**	(*what, which*)
Plural	**quels**		*Plural*	**quelles**	

The interrogative adjectives agree with the nouns that they qualify, both in gender and number.

Quel livre lisez-vous?	*What book are you reading?*
Quels hommes connaissez-vous?	*What men do you know?*
Quelles leçons étudiez-vous?	*Which lessons are you studying?*

Note:

Quel is sometimes used as an exclamatory remark.

Quel beau temps!	*What beautiful weather!*
Quelle bonté!	*How kind!*

Exercices

1. Posez la question en remplaçant les mots en caractères gras par un pronom. Employez deux formes si possible.

Exemples

Nous étudions **l'espagnol**. →	**Jean** chante. →
Qu'étudiez-vous?	Qui chante?
Qu'est-ce que vous étudiez?	Qui est-ce qui chante?

   1. **Paul** frappe la balle.

_____ ?

_____ ?

   2. Robert mange une **banane**.

_____ ?

_____ ?

   3. **Jean et Pierre** marchent sur le gazon.

_____ ?

_____ ?

4. Nous avons vu **des chevaux.**

_____ ?

_____ ?

5. Nous parlons à **de jeunes acteurs.**

_____ ?

_____ ?

6. Je pense à **cette histoire effrayante.**

_____ ?

_____ ?

7. Nous demandons une permission.

_____ ?

_____ ?

8. Nous nous baignons dans l'eau froide.

_____ ?

_____ ?

9. Je regarde souvent **la télévision.**

_____ ?

_____ ?

10. Je demande à Joseph **de m'aider.**

_____ ?

_____ ?

2. Posez des questions en mettant la forme convenable de l'adjectif interrogatif **quel, quels, quelle, quelles.**

1. _____ chemin prendrez-vous?

2. _____ robes porteront-elles?

3. _____ belles photos!

4. _____ ouvriers préférez-vous?

5. _____ fruits mangeons-nous?

6. _____ heure est-il?

7. _____ malheur lui est arrivé?

8. Sur _____ table est le repas?

9. A _____ église va-t-il?

10. _____ école est la plus ancienne?

11. _____ courage!

12. _____ hommes inviterons-nous?

13. _____ beau choix de robes!

14. _____ pommes avez-vous achetées?

15. _____ pays avez-vous visités?

3. Chaque phrase contient un adjectif interrogatif suivi d'un nom. Remplacez-les par un pronom interrogatif comme dans l'exemple.

Exemple
Quel professeur vous enseigne le français? →
Lequel nous enseigne le français?
Oui, lequel?

1. Quel film aimez-vous davantage?

    _____

    _____

2. A quelle femme présente-t-il un cadeau?

    _____

    _____

3. De quel acteur parlez-vous?

    _____

    _____

4. A quels hommes donne-t-il une récompense?

    _____

    _____

5. De quelles chambres s'agit-il?

    _____

    _____

6. A quelle ville allez-vous?

    _____

    _____

7. Dans quelle maison habitez-vous?

    _____

    _____

8. Quel roman préférez-vous?

    _____

    _____

9. Quelles leçons ont-ils étudiées?

_____

_____

10. Quel élève gagnera la course?

_____

_____

4. Posez la question qui correspond à chaque phrase, en employant un pronom interrogatif suivi de **préfères-tu.**

Exemple
J'ai deux habits. → Lequel préfères-tu?

1. Voici deux belles pièces de théâtre. _____

2. J'ai plusieurs employés. _____

3. J'ai deux chalets. _____

4. Voici une douzaine de tableaux. _____

5. Je dois choisir entre deux routes. _____

6. J'ai entendu ces deux femmes chanter. _____

7. Il y a des centaines de projets. _____

8. J'ai des collections de timbres. _____

9. Voici toutes mes sculptures. _____

10. J'ai deux chevaux de course. _____

Test

Score: ....

1. Posez la question comme dans les exemples. Etudiez bien les exemples. (N'employez pas **qui est-ce qui, qu'est-ce qui** ou **qui est-ce que.**)

Exemples
Jean parle français. → Qui parle français?
Nous avons vu **nos amis.** → Qui avez-vous vu?
Il parle **à Jean.** → A qui parle-t-il?
Il parle **de son travail.** → De quoi parle-t-il?
Il parle **à une des jeunes filles.** → A laquelle parle-t-il?

1. **François** étudie l'anglais. _____

2. **Paul** travaille fort. _____

3. Il étudie **le français.** _____

4. **Elle** mange des gâteaux. _____

5. Elle boit **du café.** _____

6. Elle parle **à Henri.** _____

7. Il parle **de Margot.** _____

8. Nous parlons **de lui.** _____

9. Il parle **d'une de ces dames.** _____

10. Ils parlent **à une des étudiantes.** _____

11. Il parle **de son devoir.** _____

12. Elle pense **à son travail.** _____

13. Elle parle **d'un de ses cours.** _____

14. Elle sort **par une des portes.** _____

15. Il pense **à sa punition.** _____

2. Répliquez en employant la forme convenable de **quel, quels, quelle** ou **quelles.**

Exemple
J'aime les romans. → Quels romans?

1. Je préfère ces amis. _____

2. Elle aime ce chapeau. _____

3. Ah, je vois l'école. _____

4. Ils adorent ces jeunes filles. _____

5. Nous préférons ces stylos. _____

6. Ça, c'est une belle ville. _____

7. Je cherche le stylo. _____

8. J'aime ces chapeaux. _____

9. J'y vais à huit heures. _____

10. Il a beaucoup de courage. Oui, _____

Marquez 4 points pour chaque réponse sans fautes.

Demonstrative Adjectives

Masculine
Singular **ce, cet** *this, that*
Plural   **ces**   *these, those*

Feminine
Singular **cette** *this, that*
Plural   **ces**   *these, those*

1. The demonstrative adjective agrees with the noun in gender and number.
   Ce garçon est intelligent.   *This (that) boy is intelligent.*
   Cette fille est jolie.   *This (that) girl is pretty.*
   Ces femmes travaillent.   *These (those) women work.*
   Ces livres sont intéressants.   *These (those) books are interesting.*

2. **Cet** is used before a masculine singular noun beginning with a vowel or mute **h**.
   Cet homme est heureux.   *This man is happy.*

3. The demonstrative adjective is repeated before each noun.
   Il m'a donné **ce** couteau et **cette** fourchette.   *He gave me this knife and (this) fork.*

4. In order to distinguish between "this" and "that", or "these" and "those", **-ci** and **-là** are placed after the nouns.
   J'achète cette robe-**ci** et cette robe-**là**.   *I am buying this dress and that dress.*

Exercices

1. Répondez à la question en employant un adjectif démonstratif devant le nom qui suit la question comme dans les exemples.

   Exemples
   Qu'est-ce que je vois? *cheval* → Ce cheval.
   Qui arrive? *élève* → Cet élève.

   1. Qu'est-ce qu'ils ont trouvé? *trésor* _____
   2. Que regardez-vous? *livre* _____
   3. Qui m'accompagnera? *acteurs* _____
   4. Qu'est-ce que j'oublie? *chemises* _____

5. Qu'est-ce qu'elle apporte? *manteau* _____

6. Que voulez-vous? *pinceaux* _____

7. Qu'est-ce que tu demandes? *argent* _____

8. Qui acceptera le cadeau? *cousine* _____

9. Que coupez-vous? *viande* _____

10. Qu'est-ce qu'ils ont découvert? *passage* _____

11. A quoi pensez-vous? *famille* _____

12. A qui est-ce que je ressemble? *athlète* _____

13. Qui réussit mieux? *homme* _____

14. Qu'est-ce qu'ils ont apporté? *cadeaux* _____

15. Que désirez-vous maintenant? *victoire* _____

16. Par où passerons-nous? *chemins* _____

17. Quand partirez-vous? *soir* _____

18. Qu'est-ce que tu cherches? *livre* _____

19. Qu'est-ce qu'elle a vendu? *corbeille* _____

20. Que regardez-vous? *arbre* _____

Demonstrative Pronouns

1. Masculine and feminine demonstrative pronouns

Masculine		Feminine	
Singular	celui	*Singular*	celle
Plural	ceux	*Plural*	celles

Celui (**celle,** etc.) is followed by a relative clause to express *the one, the ones, he who, these,* or *those.*
   Celui qui enseigne avec moi est mon ami.   *The one (he) who is teaching with me is my friend.*

When followed by **de, celui** (**celle,** etc.) replaces a noun, indicating possession.
   Le livre de Jean et **celui de** François.   *John's book and that of Francis.*

With the addition of **-ci** or **-là, celui** (**celle,** etc.) replaces a noun preceded by a demonstrative adjective. It is used to indicate special emphasis.
   Il m'a donné ce portrait-ci et **celui-là.**   *He has given me this portrait and that one.*
   J'aime **celui-ci,** mais je préfère **celui-là.**   *I like this one, but I prefer that one.*

Celui-ci indicates the latter and **celui-là,** the former. The order in French is **celui-ci** followed by **celui-là.**
   Celui-ci est français, et **celui-là** est anglais.   *The former is English and the latter is French.*

2. Neuter demonstrative pronouns

Ce (*this, that, it*) stands as the subject of **être,** when referring to something which has not been named. It also represents the subject that comes after **être.**
   C'est difficile à dire.   *It is difficult to say.*
   C'est Henri qui parle.   *It is Henry who is speaking.*

Ceci (*this, the nearer thing*) and **cela** (*that, the more remote thing*) stand for things referred to, but not specifically named.
   Faites **ceci.**   *Do this.*
   Donnez-moi **ceci** et donnez-lui **cela.**   *Give this to me and give that to him.*
   Je n'oublierai jamais **cela.**   *I shall never forget that.*

Exercices

1. Répondez aux questions en employant **celui, ceux, celle** ou **celles** en imitant l'exemple.

Exemple
C'est ta voiture?   *mon père* →   Non, c'est celle de mon père.
   1. C'est ta maison?   *mon ami*

   _____

   2. C'est ton chapeau?   *mon frère*

   _____

3. C'est votre journal? *l'autre voyageur*

_____

4. Ce sont tes chiens? *mes enfants*

_____

5. C'est ton livre? *professeur*

_____

6. Ce sont tes vêtements? *visiteurs*

_____

7. Ce sont tes cahiers? *autres étudiants*

_____

8. C'est ta valise? *voyageur américain*

_____

9. C'est la robe de Marie? *Jeanne*

_____

10. Ce sont les jouets de Robert? *Jacques*

_____

2. Répondez aux questions en employant **celui-là, ceux-là, celle-là** ou **celles-là,** en imitant l'exemple.

Exemple
Aimez-vous cette voiture-ci? → Non, mais nous aimons celle-là.

   1. Désirez-vous ce cadeau-ci? _____

   2. Voulez-vous ces pommes-ci? _____

   3. Préférez-vous cette montre-ci? _____

   4. Connaissez-vous cette fille-ci? _____

   5. Savez-vous ce poème-ci? _____

   6. Occupez-vous cette maison-ci? _____

   7. Admirez-vous ces peintures-ci? _____

   8. Voulez-vous ce dessert-ci? _____

Test

1. Répondez en vous servant du pronom démonstratif selon l'exemple.

Exemple
Voulez-vous le livre intéressant? →
Oui, celui qui est intéressant.

1. Cherche-t-il ses amis français?

   _____

2. Désirez-vous le livre qui est sur la table?

   _____

3. Voulez-vous le stylo que nous avons?

   _____

4. Préférez-vous le cadeau qui est encore au magasin?

   _____

5. Vous désirez le chapeau gris?

   _____

6. Aimez-vous lire des romans intéressants?

   _____

7. Aimeriez-vous entendre des histoires intéressantes?

   _____

8. Préférez-vous le livre français?

   _____

9. Avez-vous l'intention d'acheter la voiture qui est neuve?

   _____

10. Voulez-vous l'habit qui est neuf?

    _____

2. Faites comme dans l'exemple. Employez l'adjectif ou le pronom démonstratif.

Exemple
J'aime / qui sont intéressantes. →
Tu aimes celles qui sont intéressantes?

1. Je préfère / qui sont absentes.

   _____ ?

2. Jean aime / ; pas ceci.

   _____ ?

3. Je trouve que / jeune fille chante bien.

_____ ?

4. Je trouve / livre intéressant.

_____ ?

5. Il aime / qui est intelligente.

_____ ?

6. On dit que / que vous dites est vrai.

_____ ?

7. C'est / (_that_).

_____ ?

8. Il dit que / fleur est fraîche.

_____ ?

9. Il préfère / (_this_).

_____ ?

10. Ils aiment mieux / qui sont charmantes.

_____ ?

Marquez 5 points pour chaque réponse sans fautes.

Possessive Adjectives

Singular	Masculine	Singular	Feminine	Plural	Masculine and Feminine	
	mon		**ma**		**mes**	*my*
	ton		ta		tes	*your*
	son		sa		ses	*his, hers, its*
	notre		notre		nos	*our*
	votre		votre		vos	*your*
	leur		leur		leurs	*their*

1. The possessive adjectives agree with the nouns they modify in gender and number. In other words, they agree with the thing possessed and not the possessor.

Son livre: **his** *book* (or) **her** *book*	
Sa règle: **his** *ruler* (or) **her** *ruler*	
Mon livre est sur la chaise.	*My book is on the chair.*
Ma montre est sur le pupitre.	*My watch is on the desk.*
Ma tante est à la maison.	*My aunt is at the house.*
Mes chaussures sont sous le lit.	*My shoes are under the bed.*
Votre mère travaille.	*Your mother is working.*
Leur père est avec eux.	*Their father is with them.*
Leurs enfants parlent français.	*Their children speak French.*
Ton garçon étudie ses leçons.	*Your boy studies his lessons.*

2. **Mon, ton, son** must be used before a feminine noun or adjective beginning with a vowel or mute **h.**

mon autre maison	**ma** maison
ton amie	**ta** bonne amie
son humeur	**sa** bonne humeur

3. The possessive adjectives are not used in referring to parts of the body unless the identity of the possessor is not clear.

Il a un livre à la main.	*He has a book in his hand.*
Elle lève la main.	*She raises her hand.*
J'ai pris **sa** main.	*I took his (her) hand.*

4. The possessive adjective must be used before each noun in a series.

mon frère et **ma** sœur	*my brother and sister*
mon livre et **mon** crayon	*my book and pencil*

65

Exercices

1. Répliquez en employant **son** ou **sa** comme dans l'exemple.

Exemple
Quelle belle voiture! →
Mais c'est sa voiture.

  1. Quel gros chien!

    _____

  2. Quel petit chat!

    _____

  3. Quelle belle robe, mademoiselle!

    _____

  4. Quel bel appartement!

    _____

  5. Quelle belle cravate!

    _____

2. Répondez en employant **leur** ou **leurs** comme dans l'exemple.

Exemple
Est-ce votre frère? →
Non, c'est leur frère.

  1. Est-ce votre sœur?

    _____

  2. Est-ce votre auto?

    _____

  3. Est-ce vos amis?

    _____

  4. Est-ce votre argent?

    _____

  5. Est-ce vos bagages?

    _____

3. Répondez à la question en employant un adjectif possessif, suivant les exemples.

Exemples
C'est ton timbre? *non, à lui* → Non, c'est son timbre à lui.
Ce sont vos patins? *oui, à moi* → Oui, ce sont mes patins à moi.

  1. Ce sont mes pantalons? *non, à lui* _____

  2. C'est votre cahier? *oui, à moi* _____

  3. C'est leur professeur? *non, à nous* _____

  4. C'est ma soupe? *non, à elle* _____

  5. Ce sont ses gants? *non, à moi* _____

  6. C'est son grand-père? *oui, à elle* _____

  7. C'est sa bicyclette? *non, à moi* _____

  8. Ce sont leurs billets? *oui, à eux* _____

  9. Ce sont nos bijoux? *non, à elles* _____

  10. C'est ton chèque? *oui, à moi* _____

4. Construisez des phrases en employant un adjectif possessif, suivant les exemples.

Exemples
maison . . . à Jean. → C'est sa maison à lui.
jardin . . . à moi. → C'est mon jardin à moi.
enfants . . . de Jean. → Ce sont ses enfants à lui.

1. chapeau . . . à Gisèle. _____

2. gâteau . . . à eux. _____

3. bonbons . . . à nous. _____

4. histoires . . . à moi. _____

5. la femme . . . de Marc. _____

6. la voiture . . . de papa. _____

7. l'oncle . . . de Marie. _____

8. la chambre . . . à nous. _____

9. les bijoux . . . à elle. _____

10. la carte . . . du professeur. _____

Possessive Pronouns

	Masculine			Feminine	
Singular	le mien		*Singular*	la mienne	*mine*
	le tien			la tienne	*yours*
	le sien			la sienne	*his, hers, its*
	le nôtre			la nôtre	*ours*
	le vôtre			la vôtre	*yours*
	le leur			la leur	*theirs*
Plural	les miens		*Plural*	les miennes	
	les tiens			les tiennes	
	les siens			les siennes	
	les nôtres			les nôtres	
	les vôtres			les vôtres	
	les leurs			les leurs	

1. The possessive pronouns replace a noun plus a possessive adjective. They must agree in gender and number with the nouns they replace, and in person with the possessor.

Voilà mon stylo. Où est **le vôtre?**	*Here is my pen. Where is yours?*
Mon stylo est ici; **le sien** est là.	*My pen is here; his is there.*
Avez-vous mes livres? Je n'ai pas **les vôtres.**	*Have you got my books? I haven't got yours.*
J'aime vos souliers; **les miens** sont vieux.	*I like your shoes; mine are old.*

2. They require the definite article, and this article contracts in the usual way with **à** or **de.**

Il parle à mes enfants et je parle **aux siens.**	*He speaks to my children and I speak to his.*
Marie va à ton école; Jeanne va à **la mienne.**	*Mary goes to your school; Jean goes to mine.*
Hélène parle de tes sœurs; François parle **des siennes.**	*Helen is speaking about your sisters; Francis is speaking about his.*
Voici votre manteau; pourquoi avez-vous besoin **du mien?**	*Here is your coat; why do you need mine?*

3. They may be used in the plural without an antecedent to mean friends, relatives, allies, etc.

Les nôtres ont remporté une victoire.	*Our allies won a victory.*

Exercices

1. Répondez à la question **A qui est** . . . ? ou **A qui sont** . . . ? comme dans les exemples.

Exemples
les crayons? *à elle* → Ce sont les siens.
le stylo? *à moi* → C'est le mien.

A qui est/sont . . . ?

1. les amies? *à moi* ___Ce sont les miennes___
2. la maison? *à lui* _____
3. les leçons? *à eux* _____
4. le manteau? *à lui* _____
5. les poupées? *à elles* _____
6. les frères? *à nous* _____
7. la robe? *à elle* _____
8. le sifflet? *à toi* _____
9. les bagages? *à eux* _____
10. l'armée? *à nous* _____

2. Répondez **oui** à la question en employant un pronom possessif, suivant les exemples.

Exemples
Buvez-vous votre thé? → Oui, nous buvons le nôtre.
Ta mère est-elle grande? → Oui, la mienne est grande.

1. Vos leçons sont-elles difficiles? _____
2. Tes bagages sont-ils prêts? _____
3. Son père est-il médecin? _____
4. Leurs amies sont-elles riches? _____
5. Ton livre a-t-il des images? _____
6. Notre lycée est-il plus agréable? _____
7. Vos malades sont-ils guéris? _____
8. Sa cravate est-elle rouge? _____
9. Leurs devoirs sont-ils terminés? _____
10. Ses gants te plaisent-ils? _____

Relative Pronouns

Some relative pronouns are invariable in form, but all have the same gender, number, and person as their antecedents.

1. **Qui,** (*who, which, that*) is used as subject, representing persons and things.

Voilà le garçon **qui** est à la maison.	*There is the boy who is at the house.*
Je suis la fille **qui** parlait.	*I am the girl who was speaking.*
Regardez le verre **qui** est vide.	*Look at the glass that is empty.*

2. **Que, qu',** (*whom, which, that*) are used as direct objects, representing persons and things.

C'est l'homme **que** j'ai vu.	*It is the man whom I saw.*
Voici le cadeau **qu'**il m'a donné.	*Here is the present which he gave me.*

3. **Lequel, laquelle, lesquels, lesquelles,** (*who, whom, which, that*) are used following a preposition, and represent persons and things.

C'est l'ami avec **lequel** je voyage.	*He is the friend with whom I am travelling.*
Voici la femme avec **laquelle** je travaille.	*This is the woman with whom I am working.*

   After a preposition, **qui** (*whom*) may be used instead of **lequel,** but for persons only.

Je suis la fille à **qui** il a donné le livre.	*I am the girl to whom he gave the book.*

   Since it is inflected, **lequel** (**laquelle,** etc.) may be used instead of **qui** or **que** to prevent ambiguity.

C'était la fille du président **laquelle** parlait auparavant.	*It was the president's daughter (not the president) who was speaking previously.*

   With the prepositions **à** and **de, lequel** is contracted as follows:

auquel (m.s.)	**à laquelle** (f.s.)	**duquel** (m.s.)	**de laquelle** (f.s.)
auxquels (m.p.)	**auxquelles** (f.p.)	**desquels** (m.p.)	**desquelles** (f.p.)

Nous sommes les garçons **auxquels** ils ont donné l'argent.	*We are the boys to whom they gave the money.*

4. **Dont** (*whose, of whom, of which, from whom, from which*) represents **de** plus a relative pronoun and can be used, instead of **de qui** or **duquel,** for persons or things. However, **dont** must not be used when the noun on which the relative pronoun depends is preceded by a preposition.

Voilà la femme **dont** le fils a été tué.	*There is the woman whose son was killed.*

   but

Donnez-cela au garçon **avec** le frère **duquel** je travaille.	*Give it to the boy with whose brother I am working.*

5. **Ce qui, ce que** (*that which, what, which*) and **ce dont** (*that of which, that from which*) are formed from the neuter pronoun **ce** with the relative pronoun **qui, que,** or **dont.** They are used when the meaning is "the thing which", or "the thing of which".

Ce que j'ai entendu est incroyable.	*What I have heard is unbelievable.*
Ce dont vous parlez est intéressant.	*What you are speaking about is interesting.*

6. A subordinate clause containing **ce, ce que,** or **ce dont** may be represented by **ce** in the main clause for added emphasis.

Ce dont il se plaint, **ce** n'est pas la pauvreté.   *It is not poverty which he complains about.*

7. **Où** (*where*), usually an adverb, also serves as a relative pronoun when it replaces **auquel, dans lequel, sur lequel.**

L'hôtel **où** (auquel) je suis installé est très   *The hotel at which I am staying is very comfortable.*
confortable.

Exercices

1. Répondez à la question **Que vois-tu?** en employant **qui, que,** suivant les exemples.

Exemples
le cheval . . . marche → Je vois le cheval qui marche.
la pomme . . . vous voulez → Je vois la pomme que vous voulez.
le gâteau . . . il aime → Je vois le gâteau qu'il aime.

Que vois-tu?

1. la terre . . . il laboure _____

2. la ferme . . . s'agrandit _____

3. l'habit . . . vous désirez _____

4. le bateau . . . s'avance _____

5. la montre . . . elle porte _____

6. le fruit . . . vous avez cueilli _____

7. le général . . . vous admirez _____

8. le garage . . . il achève _____

9. la pilule . . . il avalera _____

10. le pourboire . . . tu donnes _____

2. Répondez à la question en employant **qui, que, dont, où.**

Exemple
Quel livre? *je vous parlais* →
C'est le livre dont je vous parlais.

1. Quel auteur? *je vous parlais*

_____

2. Quelles aventures? *je vous raconte*

_____

3. Quel chandail? *il veut*

_____

4. Quels chants? *vous écoutez*

_____

5. Quelles voitures? *je vous parle*

_____

6. De quelle dame parle-t-elle? *chez / elle demeure*

_____

7. Quel pays? *j'ai visité*

_____

8. Quelle robe? *je parlais*

_____

9. Quel hôtel? *je préfère loger*

_____

10. Quels examens? *ceux / vous avez passés*

_____

3. Posez la question qui correspond à la phrase, en vous servant d'un pronom relatif, suivant les exemples.

Exemples
Je songe à ces auteurs. → Auxquels songes-tu?
Il travaille avec cet homme. → Avec lequel travaille-t-il?

1. Il parle de l'avocat fameux. _____

2. Nous montons sur cette colline. _____ montez-vous?

3. Nous rentrerons par la porte de derrière. _____ rentrerez-vous?

4. Il arrive par cette route. _____

5. Vous parliez de mes cousins. _____ parlions-nous?

6. Je traverserai sur ce pont. _____ traverserez-vous?

7. Il rêve de grandes victoires. _____

8. Il doit passer par ce corridor. _____

9. Paul a hérité de ses parents. _____

10. Nous réussirons par ces moyens. _____ réussirez-vous?

4. Répondez à la question en employant **ce qui** ou **ce que** comme dans les exemples.

Exemples
Qu'est-ce que vous apportez? → Nous ne savons pas ce que nous apportons.
Qu'est-ce qui tombe? → Je ne sais pas ce qui tombe.

1. Qu'est-ce que tu cherches? Je _____

2. Qu'est-ce que tu vois? Je _____

3. Qu'est-ce que nous faisons? Vous _____

72

4. Qu'est-ce que vous désirez?   Nous _____

5. Qu'est-ce qu'il achètera? _____

6. Savez-vous ce qui est bon?   Nous _____

7. Qu'est-ce qui sera raisonnable? _____

8. Qu'est-ce qu'il vaut mieux faire? _____

_____

9. Qu'est-ce qui se passe? _____

10. Qu'est-ce que vous faites?   Nous _____

5. Complétez la phrase en employant **ce que, ce qui** ou **ce dont.**

1. Voici / nous avons besoin.

_____

2. Vous rappelez-vous / je vous ai appris?

_____

3. Pensez tous à / vous faites.

_____

4. Travailler davantage est / compte.

_____

5. Je ne me rappelle plus / nous avions peur.

_____

6. / est bon pour moi est bon pour toi.

_____

Test

1. Répondez en employant **sa, son** ou **ses** comme dans les exemples.

Exemples
Qui est cette jeune fille? →
C'est sa <u>sœur</u>.

Qui sont ces garçons? →
Ce sont ses <u>frères</u>.

1. Qui est cette dame?

_____ mère.

2. Qui est ce monsieur?

_____ professeur.

3. Qui sont ces dames?

_____ tantes.

4. Qui sont ces jeunes hommes?

_____ cousins.

5. Qui est cet enfant?

_____ petit frère.

2. Répondez comme dans l'exemple.

Exemple
C'est votre sœur? →
Non, ce n'est pas notre (ma) sœur.

1. C'est votre chien?

Non, _____

2. C'est votre femme?

Non, _____

3. Ce sont vos livres?

Non, _____

4. C'est votre montre?

Non, _____

5. Ce sont nos amis?

Non, _____

3. Répondez en choisissant la seconde personne comme dans l'exemple.

Exemple
Ce livre est à toi ou à lui? →
C'est **le sien.**

1. Cette voiture est à ton frère ou à elle.

_____

2. Ce billet est à elle ou à lui?

_____

3. Ces robes sont à vous ou à elles.

_____

4. Ce chapeau est à Jean ou à toi?

_____

5. Ces cravates sont à toi ou à eux?

_____

4. Répondez affirmativement comme dans l'exemple.

Exemple
C'est ton frère? →
Oui, c'est le mien.

1. C'est ton ami?

_____

2. C'est ton amie?

_____

3. C'est votre reine?

_____

4. C'est leur fils?

_____

5. Ce sont ses parents?

_____

74

5. Répondez à la question **Que vois-tu?** selon les exemples. Employez des pronoms relatifs.

Exemples
l'élève / parle →
Je vois l'élève qui parle.

les patins / nous voulons acheter →
Je vois les patins que nous voulons acheter.

Que vois-tu?

1. le chandail / il porte souvent

_____

2. l'orange / vous désirez

_____

3. un ami / arrive là-bas

_____

4. le cheval / court vite

_____

5. la lettre / il a écrite à sa mère

_____

6. le chandail / elle préfère

_____

7. les journaux / nous avons lus

_____

8. l'ami / tu aimes

_____

9. l'étudiant / travaille fort

_____

10. la peinture / vous admirez

_____

6. Faites comme dans l'exemple. Servez-vous du pronom relatif.

Exemple
Quel professeur est ton oncle? *est là-bas* →
Celui qui est là-bas.

1. Quel garçon est ton frère? *passe*

_____

2. Quel chapeau est à Jean? *sur la table*

_____

75

3. Qui est cette dame?   *j'ai donné le cadeau*

_____

4. Quel stylo préfères-tu?   *tu viens d'écrire*

_____

5. Quelle est cette rue?   *se trouve sa maison*

_____

6. A quelles questions répondras-tu?   *me seront posées*

_____

7. De qui se plaint-il?   *est paresseux*

_____

8. Qui est ce monsieur là-bas?   *tu as déjà vu hier*

_____

9. Qui est ce jeune homme?   *je travaille*

_____

10. Qui sont ces étudiants?   *ont gagné les prix*

_____

Marquez 2½ points pour chaque réponse sans fautes.

Formation of Adverbs

1. An adverb is a word that modifies a *verb*, an *adjective* or another *adverb*.

Elle chante **bien.**	*She sings well.*
Elle est **très** intelligente.	*She is very intelligent.*
Elle chante **très** doucement.	*She sings very softly.*

2. Adverbs of manner are formed by adding **-ment** to the feminine of the adjective:

heureux	heureuse	heureusement
facile	facile	facilement

3. If the adjective ends in a vowel in the masculine, add **-ment** to the masculine:

poli	poliment

Exceptions:

gai	gaiement (*or* gaîment)
fou	follement
beau	bellement

4. Adjectives ending in **-ant, -ent** change the endings to **-amment, -emment**:

constant	constamment	évident	évidemment

Exceptions:

lent	lentement	présent	présentement

5. Some adverbs are formed by adding **é** to the masculine of the adjective and then adding **-ment**:

précis	précisément	profond	profondément

6. Several adjectives ending in **e** change **e** to **é** before adding **-ment**:

énorme	énormément	uniforme	uniformément
immense	immensément	conforme	conformément

7. Some adverbs are not formed from their adjective.

Adjectives	Adverbs	Adjectives	Adverbs
bon	bien	gentil	gentiment
petit	peu	bref	brièvement
mauvais	mal		

8. Others have the same form as the adjectives.

bas, chaud, cher, clair, court, fort, haut

Position of Adverbs

1. The adverb usually follows *a simple verb* directly.

Il chante **bien**.	*He sings well.*
Elle parle **lentement**.	*She speaks slowly.*
Il parle **fort**.	*He speaks loudly.*

2. In the compound tenses, the adverb usually precedes the past participle of a compound verb.

Il a **bien** travaillé.	*He worked well.*
Elle a **complètement** oublié ton avis.	*She completely forgot your advice.*
Elles n'ont pas **encore** chanté.	*They haven't sung yet.*

Note

Certain adverbs ending in **-ment** follow the past participle and certain others follow the noun object of the sentence.

Il a marché **lentement**.	*He walked slowly.*
Elle écrit la lettre **lentement**.	*She wrote the letter slowly.*

The adverbs of time and place (except **souvent, déjà,** and **encore**) such as **aujourd'hui, hier, demain, autrefois, ailleurs, dehors, tôt, tard, ici, là, là-bas, partout** regularly follow the past participle or direct infinitive.

Je l'ai vu **hier**.	*I saw her yesterday.*
Elle est venue **ici**.	*She came here.*
Je n'ai pas pu aller **partout**.	*I couldn't go everywhere.*

The adverbs of time **aujourd'hui, hier, demain** and **autrefois** often begin a sentence.

Demain, il ira à Québec.	*Tomorrow he will go to Quebec.*
Autrefois, il jouait du piano.	*Formerly, he played the piano.*

Exercices

1. Répondez aux questions suivantes et placez l'adverbe correctement comme dans les exemples.

Exemples
Vous mangez ce soir? *tôt* →
Oui, nous mangeons tôt ce soir.

As-tu aimé le bal? *vraiment* →
Oui, je l'ai vraiment aimé.

1. Quand l'as-tu vu? *hier*

   _____

2. Comment chante-t-elle? *bien*

   _____

3. L'as-tu oublié? *complètement*

   _____

4. Comment marche-t-il? *vite*

   _____

5. Le connaissiez-vous? *autrefois*

   _____

78

6. Où l'a-t-elle vu? *ailleurs*

_____

7. Ils se sont défendus? *bien*

_____

8. Tu as dit cela? *certainement*

_____

9. Tu voudrais faire une promenade? *bien*

_____

10. Où l'as-tu vu? *dehors*

_____

2. Répondez aux questions comme dans les exemples.

Exemples
Vous êtes arrivés ce matin? *tôt* →   Quand l'a-t-il vu? *hier* →
Oui, nous sommes arrivés tôt ce matin.   Il l'a vu hier.

1. Comment a-t-elle marché? *vite*

_____

2. Et elle, comment marche-t-elle? *lentement*

_____

3. Quel temps faisait-il en Louisiane? *chaud*

_____

4. Ça, ça coûte beaucoup? *cher*

   Oui, _____

5. Tu as aimé le banquet? *vraiment*

_____

6. Il a compris? *parfaitement*

   Non, _____

7. Vous parlez beaucoup? *peu*

   Non, nous _____

8. Ils aiment patiner? *énormément*

_____

9. Parle-t-il lentement? *vite*

   Non, _____

10. Quand l'as-tu vu? *autrefois*

_____

3. Faites comme dans l'exemple.

Exemple
Il est prudent. → Voilà pourquoi il conduit prudemment.

    1. Il est intelligent.   Voilà pourquoi il parle _____

    2. Il est ardent.   Voilà pourquoi il travaille _____

    3. Il est sérieux.   Voilà pourquoi il étudie _____

    4. Il est sévère.   Voilà pourquoi il nous gronde _____

    5. Il est drôle.   Voilà pourquoi il se conduit _____

    6. Elle est lente.   Voilà pourquoi elle marche _____

    7. Elle est polie.   Voilà pourquoi elle agit _____

    8. Elle est courageuse.   Voilà pourquoi elle agit _____

    9. Elle est cruelle.   Voilà pourquoi elle agit _____

  10. Elle est douce.   Voilà pourquoi elle parle _____

4. Répondez en vous servant de l'adverbe qui correspond à l'adjectif donné.

Exemple
Vous parlez français à vos amis? *fréquent* → Oui, nous parlons fréquemment français à nos amis.

    1. Il parle anglais? *facile*

       Oui, _____

    2. Elle est heureuse? *absolu*

       Oui, _____

    3. Vous aimez danser? *énorme*

       Oui, nous _____

    4. Il neigeait hier soir. *léger*

       Oui, _____

    5. C'est ce que je lui ai dit? *précis*

       Oui, _____

    6. Vous allez au théâtre? *fréquent*

       Oui, _____

    7. Vous marchez? *lent*

       Oui, nous _____

    8. Vous pouvez faire ce travail? *facile*

       Oui, nous _____

    9. Il n'est pas malade? *grave*

       Non, _____

10. Tu n'iras pas? *certain*

Non, je _____

11. Il n'étudie pas. *suffisant*

Non, _____

12. Il refuse de le faire? *poli*

Oui, _____

13. Elles étudient. *constant*

Oui, _____

14. Tu ne l'as pas vu? *dernier*

Non, je _____

15. Tu fais cela comme ça? *autre*

Non, je _____

Test

1. Répondez comme dans l'exemple.

Exemple
Tu marches? *lent*
Oui, je marche lentement.

  1. Elle est malade? *grave*

  Oui, elle _____

  2. Tu parles français? *facile*

  Oui, je _____

  3. Elle parle? *constant*

  Oui, elle _____

  4. Il travaille? *ardent*

  Oui, il _____

  5. Elle se défend? *courageux*

  Oui, elle _____

  6. C'est ce que tu as fait? *précis*

  Oui, c'est _____

  7. Il l'a vu? *dernier*

  Oui, il _____

8. Il pleut? *léger*

Oui, il _____

9. Son père l'a grondé? *sévère*

Oui, il _____

10. Vous y allez? *présent*

Oui, nous _____

2. Répondez comme dans l'exemple.

Exemple
Elle travaille? *constant* →
Oui, elle travaille constamment.

1. Elle marche? *digne*

_____

2. Il parle fort? *doux*

Non, _____

3. Elle court vite? *lent*

Non, _____

4. Elle s'habille bien? *élégant*

_____

5. Est-ce que tu peux le faire? *aise*

Oui, je _____

6. Tu l'aimes? *énorme*

Oui, je _____

7. Il y va? *présent*

_____

8. Ils parlent? *constant*

_____

9. Elle réussit? *facile*

_____

10. Est-ce qu'il pleut fort? *léger*

Non, _____

Marquez 5 points pour chaque réponse sans faute.

82

Comparison of Adjectives and Adverbs

Adjectives

Positive	*Comparative*	*Superlative*
petit	**plus petit**	**le plus petit**

1. To indicate equality in the affirmative use **aussi . . . que;** in the negative you may use **si . . . que.**
   Il est **aussi** petit **que** son frère.   *He is as small as his brother.*
   Il n'est pas **si** petit **que** son frère.   *He is not as small as his brother.*

2. To indicate inferiority use **moins, le moins:**
   Hélène est **moins** grande que sa sœur.   *Helen is shorter than her sister.*
   Il est **le moins** riche de la famille.   *He is the least rich of the family.*

3. To indicate the superlative degree use **le, la, les** or the possessive adjective with the comparative:
   Il est grand.   *He is tall.*
   Jean est plus grand que Jacques.   *John is taller than Jack.*
   Henri est **le plus** grand de tous les garçons.   *Henry is the tallest of all the boys.*
   Elle est jolie.   *She is pretty.*
   Elle est plus jolie que sa sœur.   *She is prettier than her sister.*
   C'est **la plus** jolie de toutes les filles.   *She is the prettiest of all the girls.*
   Ces livres sont intéressants.   *These books are interesting.*
   Ces livres-ci sont plus intéressants que ceux-là.   *These books are more interesting than those.*
   Ces livres sont **les plus** intéressants de tous.   *These books are the most interesting of all.*
   Voici un beau chapeau.   *Here is a pretty hat.*
   Celui-ci est plus beau que celui-là.   *This one is prettier than that one.*
   C'est **mon plus** beau chapeau.   *It is my prettiest hat.*

   Note:
   The position of the superlative is the same as the position of adjectives. If the adjective normally precedes the noun, so does the superlative. If the adjective normally follows the noun, the superlative also follows.
   C'est **le plus beau** garçon de la classe.   *He is the handsomest boy in the class.*
   C'est le garçon **le plus intelligent** de la classe.   *He's the most intelligent boy in the class.*

4. If there is a clause depending on the comparative, **ne** must be used before the verb:
   Elle est plus âgée que vous **ne** le pensez.   *She is older than you think.*
   Il y a moins d'argent que je **n'**en ai demandé.   *There is less money than I asked for.*

5. The following adjectives have irregular comparative and superlative forms:

bon(ne)	meilleur(e)	le or la meilleur(e)
petit(e)	plus petit(e)	le or la plus petit(e)
	moindre *less*	le or la moindre *least*
mauvais(e)	plus mauvais(e)	le or la plus mauvais(e)
	pire	le or la pire

6. The following is a list of useful phrases:

de plus en plus	*more and more*
de moins en moins	*less and less*
de mieux en mieux	*better and better*
plus . . . plus	*the more . . . the more*
moins . . . moins	*the less . . . the less*
Plus elle voit la robe, **plus** elle l'aime.	*The more she sees the dress, the more she likes it.*
Plus il devient riche, **moins** il est content.	*The richer he becomes, the less happy he is.*

Adverbs

1. The comparative and the superlative of the adverb are formed in the same manner as the comparative and the superlative of the adjective, except that in the superlative, the definite article always remains in the masculine:

souvent	plus souvent	le plus souvent
vite	plus vite	le plus vite
souvent	moins souvent	le moins souvent

2. The following adverbs have irregular comparative and superlative forms:

bien	mieux	le mieux
mal	plus mal	le plus mal
	pis	le pis
peu	moins	le moins
beaucoup	plus	le plus

3. The adverbs **plus de** and **moins de** express quantity before a numeral:

Il a mangé **plus de** quatre tartelettes.	*He ate more than four tarts.*
Elle a **moins de** cinquante sous dans sa poche.	*She has less than fifty cents in her pocket.*

Note:

Do not confuse with plus que and **moins que** which indicate comparison.

Un camion peut porter **plus que** deux autos.	*A truck can carry more than two cars (can carry).*

Exercices

1. Répondez en employant le comparatif de l'adjectif suivant les exemples.

Exemple
Paul est riche. Et Pierre? → Il est plus riche que Paul.
et vous? → Nous aussi, nous sommes plus riches que Paul.

   1. Maurice est riche.

     et Thomas?

     Il _____

   2. et lui?

     Lui aussi, _____

3. et Marie?

Elle aussi, _____

4. et toi?

Moi aussi, _____

5. Jeanne est heureuse.

et sa sœur?

Elle est _____

6. et Henri?

Lui aussi, _____

7. et moi?

Toi aussi, _____

8. Le professeur est grand.

et toi?

Moi, je _____

9. et l'étudiant?

Lui aussi, _____

10. et Jeanne?

Elle aussi, _____

11. Jean est paresseux.

et Paul?

Il est _____

12. et son frère?

Lui aussi, _____

13. et Lucille et Jean?

Eux aussi, _____

14. Louise est gentille.

et Suzanne?

Elle est _____

15. et Hélène et Margot?

Elles aussi, _____

16. et ton amie?

Elle aussi, _____

2. Faites comme dans l'exemple.

Exemple
L'anglais est facile. Et le français? → Le français est plus facile que l'anglais.

   1. François est petit. Et le bébé?

   _____

   2. Sa robe est belle. Et son chandail?

   _____

   3. Les Italiens sont artistiques. Et les Français?

   _____

   4. Les contes sont intéressants. Et les romans?

   _____

   5. Ces dames-ci sont jeunes. Et ces dames-là?

   _____

   6. Le lait coûte cher. Et la crème?

   _____

   7. Marie est grande. Et sa sœur?

   _____

   8. Les Rocheuses sont très hautes. Et les Alpes?

   _____

   9. La confiture est sucrée. Et le miel?

   _____

   10. Les vacances de Noël sont longues. Et les vacances d'été?

   _____

3. Répliquez comme dans l'exemple.

Exemple
Pierre est grand. Et Jean? → Il est moins grand que Pierre.

   1. Mon père est vieux? Et ma mère?

   Elle _____

   2. Le cinéma est intéressant. Et le lycée?

   Il _____

   3. Louise est jeune. Et Robert?

   Il _____

   4. Le tigre est sauvage. Et le loup?

   Il _____

5. Les langues sont faciles. Et les sciences?

Elles _____

6. Le chien est gros. Et le chat?

Il _____

7. Le soleil est grand. Et la lune?

Elle _____

8. Les Français sont spirituels. Et les Anglais?

Ils _____

9. Cette route-ci est dangereuse. Et cette route-là?

Elle _____

10. L'été est beau. Et le printemps?

Il _____

4. Répondez en vous servant du comparatif de l'adjectif suivant l'exemple.

Exemple
Est-ce que l'anglais est moins difficile que le français? → Non, l'anglais est aussi difficile que le français.

1. Est-ce que Paul est moins grand que Marie?

Non, il _____

2. Est-elle moins intelligente que Jeanne?

Non, elle _____

3. Suis-je moins fort que François?

Non, tu _____

4. Est-ce que cette montagne est moins haute que celle-là?

Non, elle _____

5. Jeanne est-elle moins heureuse que son amie?

Non, elle _____

6. Son père est-il moins sévère que le mien?

Non, il _____

7. Henri est-il moins capable que son frère?

Non, il _____

8. Thomas est-il moins gentil que son cousin?

Non, il _____

9. Le lycée est-il moins grand que l'école élémentaire?

Non, il _____

10. Le cinéma est-il moins intéressant que le théâtre?

Non, il _____

5. Répliquez comme dans l'exemple.

Exemple
New York est une grande ville aux Etats-Unis. →
Oui vraiment, c'est la plus grande ville des Etats-Unis.

   1. Toronto est une grande ville du Canada.

_____

   2. Jeanne est une belle fille du village.

_____

   3. Henri est un petit étudiant de notre école.

_____

   4. "Chez Jean" est un bon restaurant de la ville.

_____

   5. Jean est un étudiant intelligent de notre classe.

_____

   6. Paris est une belle ville d'Europe.

_____

   7. C'est le grand Premier Ministre de notre siècle.

_____

   8. C'est un mauvais livre.

_____

   9. C'est un médecin fameux de la ville.

_____

   10. Jean est un bon joueur de tennis.

_____

6. Transformez les phrases comme dans les exemples en employant le comparatif de l'adverbe.

Exemples
Jean court vite. Et Paul? →
Paul court plus vite que Jean.

Elle parle vite. Et moi? →
Toi, tu parles plus vite qu'elle.

   1. Lionel étudie souvent. Et Alphonse?

Alphonse _____

2. Je marche lentement. Et André?

André _____

3. Margot chante bien. Et Anne?

Anne _____

4. Jeanne mange tard. Et elle?

Elle, elle _____

5. Je mange beaucoup. Et Louis?

Louis _____

6. Médéric conduit lentement. Et moi?

Toi, tu _____

7. Vous chantez mal. Et lui?

Lui, il _____

8. J'y vais souvent. Et lui?

Lui, il _____

9. Vous lisez bien. Et elle?

Elle, elle _____

10. Il agit drôlement. Et elles?

Elles, elles _____

7. Combinez les phrases en employant le comparatif de l'adverbe de la façon suivante.

Exemple
Jeanne chante bien. Elle, chante-t-elle bien? →   a)   Elle, elle chante aussi bien que Jean.
b)   Mais parfois, elle chante moins bien que Jean.

1. Jeanne marche vite. Lui, marche-t-il vite?

a) Lui, il _____

b) _____

2. Elles étudient souvent. Vous, étudiez-vous souvent?

a) Nous, nous _____

b) _____

3. Albert marche lentement. Elle, marche-t-elle lentement?

a) Elle, elle _____

b) _____

4. Ils parlent fort. Moi, est-ce que je parle fort?

a) Toi, tu _____

b) _____

5. Je mange bien. Toi, manges-tu bien?

a) Moi, je _____

b) _____

6. Je chante mal. Lui, chante-t-il mal?

a) Lui, il _____

b) _____

7. Ils mangent tard. Nous, mangeons-nous tard?

a) Vous, vous _____

b) _____

8. Il agit drôlement. Elle, agit-elle drôlement?

a) Elle, elle _____

b) _____

9. Louis travaille peu. Lui, travaille-t-il peu?

a) Lui, il _____

b) _____

10. Je voyage souvent. Lui, voyage-t-il souvent?

a) Lui, il _____

b) _____

11. Il travaille bien. Elle, travaille-t-elle bien?

a) Elle, elle _____

b) _____

12. Jean apprend facilement. Moi, est-ce que j'apprends facilement?

a) Toi, tu _____

b) _____

13. Les Canadiens vont souvent en France. Eux, y vont-ils souvent?

a) Eux, ils _____

b) _____

14. Il se porte mal. Elle, se porte-t-elle mal?

a) Elle, elle _____

b) _____

15. Elles lisent bien. Eux, lisent-ils bien?

a) Eux, ils _____

b) _____

8. Répliquez en employant le superlatif de l'adverbe.

Exemple
Ces étudiants travaillent fort. Ceux-là travaillent plus fort. Et eux? →
Eux, ils travaillent le plus fort.

1. Ces jeunes filles dansent mal. Celles-ci dansent plus mal. Et celles-là?

   _____

2. Les Américains vont souvent en France. Les Canadiens y vont plus souvent. Et les Anglais?

   _____

3. Ils mangent beaucoup. Elles mangent plus. Et nous?

   Vous _____

4. Nous nous amusons bien. Vous vous amusez mieux. Et eux?

   _____

5. Je marche lentement. Tu marches plus lentement. Et elles?

   _____

6. J'en ai peu. Il en a moins. Et elle?

   _____

7. Il parle vite. Jean parle plus vite. Et Alexandre?

   _____

8. J'en veux beaucoup. Il en veut plus. Et ses enfants?

   _____

9. Traduisez en français.

1. *He is beginning to walk more and more each day.*

   _____

2. *She talks less and less each year.*

   _____

3. *The more he talks, the less she listens.*

   _____

4. *The more she works, the more she wants to work.*

   _____

5. *He reads better and better each day.*

   _____

1. Répondez comme dans l'exemple en employant le comparatif de l'adjectif ou de l'adverbe.

Exemple
Il y va souvent. Et toi? → Moi, j'y vais plus souvent que lui.

   1. Il est grand. Et elle? → Elle, elle _____

_____

   2. François parle lentement. Et Jacques?   Lui, il _____

_____

   3. Jean est heureux. Et sa sœur?   Elle, elle _____

_____

   4. Jacques est petit. Et son frère?   Lui, il _____

_____

   5. François vient souvent. Et elle?   Elle, elle _____

   6. Elles lisent bien. Et les autres?   Eux, ils _____

   7. Nous voyageons souvent. Et vous?   Nous, nous _____

_____

   8. Il parle vite. Et elle?   Elle, elle _____

   9. Ils chantent bien. Et elle?   Elle, elle _____

  10. Mon père est sévère. Et le tien?   Le mien _____

2. Répondez en employant le superlatif de l'adjectif ou de l'adverbe.

Exemple
Tous ces étudiants sont petits. Et lui? →
Lui, c'est le plus petit de tous les étudiants.

   1. Tous ces oiseaux sont jolis. Et celui-ci?

     Celui-ci, c'est _____

   2. Toutes les filles sont jeunes. Et elle?

     Elle, c'est _____

   3. Tous les hommes sont heureux. Et lui?

     Lui, c'est _____

   4. Tous les étudiants y vont souvent. Et lui?

     Lui, il _____

   5. Toutes les pages sont propres. Et cette page?

     Cette page, c'est _____

3. Dites en français.

1. *He works more and more.*

_____

2. *She works less and less.*

_____

3. *The more he works, the less he succeeds.* (réussir)

_____

4. *The more he sees her, the more he likes her.*

_____

5. *The more she sees him, the less she likes him.*

_____

Marquez 5 points pour chaque réponse sans fautes.

Negation

Negatives

ne . . . pas	*not*	ne . . . personne	*not anybody*
ne . . . point	*not* (emphatic)	ne . . . rien	*not anything, nothing*
ne . . . jamais	*never*	personne ne . . .	*nobody*
ne . . . guère	*hardly*	rien ne . . .	*nothing*
ne . . . plus	*no more, no longer*	nul, nulle ne . . .	*no, none*
ne . . . que	*only*	aucun, aucune ne . . .	*no, none*
ni . . . ni . . . ne	*neither . . . nor*	ne . . . nul, nulle	*no, none*
ne . . . ni ne . . .	*neither . . . nor*	ne . . . aucun, aucune	*no, none*

Negative

Je **ne** sais **pas**.
I do not know.

Je **ne** sais **point**.
I do not know.

Il **n'**est **jamais** là.
He is never there.

On ne le voit guère.   is a synonym for

One hardly sees him.

Je ne le vois plus.
I do not see him any more.

Il **ne** voit **qu'**elle.   is a synonym for
He sees only her.

Ni Marie **ni** Jean **ne** vient.
(Two subjects, two **ni**)
Neither Marie nor John is coming.

Il **ne** boit **ni ne** mange.
He neither drinks nor eats.

(Note two verbs, two **ne**)

Il **ne** parle **ni** à Marie **ni** à Jean.
He speaks neither to Mary or John.

Je **ne** vois **personne**.
I do not see anybody.

Je **ne** vois **rien**.
I do not (cannot) see anything.
Rien ne se passe.
Nothing is going on.

Affirmative

Je sais.
I know.

Je sais.
I know.

Il est **toujours** là. (souvent, quelquefois)
He is always there.

On le voit **peu (à peine)**.
On ne le voit **presque pas**.
One hardly sees him.

Je le vois **encore**.
I see him still.

Il voit elle **seulement**.
He sees only her.

Marie **et** Jean viennent.

Mary and John are coming.

Il boit **et** mange.
He drinks and eats.

Il parle **et** à Marie **et** à Jean.
He speaks to both Mary and John.

Je vois **quelqu'un**.
I see someone.

Je vois **quelque chose**.
I see something.
Quelque chose se passe.
Something is going on.

Nul (aucun) ne le saura.	Quelqu'un le saura.
Nobody will know it.	*Somebody will know it.*
Nulle (aucune) femme ne le verra.	Quelqu'une (des femmes) le verra.
No woman will see him.	*Some woman will see him.*
Je n'ai nul (aucun) souci.	J'ai quelques soucis.
I have no care.	*I have some cares.*
Tu n'as nulle (aucune) difficulté.	Tu as quelques difficultés.
You have no difficulty.	*You have some difficulties.*

1. The **ne** of all negative forms precedes the verb or its auxiliary. **Pas, point,** etc. follow the verb or the auxiliary verb. The **ne** must precede the auxiliary verb if the sentence is in a compound tense:

Je **ne** le donne **pas.**	*I do not give it.*
Je **ne** l'ai **pas** donné.	*I did not give it.*

2. **Pas, point, jamais, rien, guère, que, ni, aucun, nul** and **plus** follow the auxiliary verb, but **personne** follows the past participle of a compound verb. **Que** and **ni** are placed before the word, or in the case of **que**, the clause that they restrict. **Nul** and **aucun** are placed before the word which they modify:

Je **ne** l'ai **jamais** vu.	*I have never seen it.*
Elle **n'**a **rien** vu.	*She saw nothing.*
Il **n'**a vu **personne.**	*He saw nobody.*
Il **ne** m'a vu **que** deux fois.	*He saw me only twice.*
Elle **n'**a **aucune** inquiétude.	*She has no worry.*

3. **Rien, personne, nul** and **aucun** may be used as the subject or the direct object of a verb, and consequently change position according to their use:

Personne ne me parle.	*Nobody speaks to me.*
Je **ne** vois **personne.**	*I see nobody.*

4. When **ne . . . pas, ne . . . point, ne . . . plus, ne . . . jamais, ne . . . rien** precede the infinitive, they are not separated:

Il me demande de **ne rien** dire.	*He asks me to say nothing.*
Dites-leur de **ne pas** faire cela.	*Tell them not to do that.*

5. **Rien, pas, point, personne, jamais** may stand alone in an elliptical sentence, that is, a sentence without a verb:

Qu'est-ce que vous dites? **Rien.**	*What are you saying? Nothing.*
Qui voyez-vous? **Personne.**	*Whom do you see? Nobody.*

6. **Ne** may be used alone in the following cases, but this is chiefly a stylistic device:

   after **si** in a conditional clause:

Si je **ne** me trompe, il sera ici ce soir.	*If I am not mistaken, he will be here this evening.*

   when used with the verbs **cesser, pouvoir, savoir** and **oser:**

Je **ne** peux (**pas**) vous voir demain.	*I cannot see you tomorrow.*
Je **n'**ose (**pas**) croire cela.	*I don't dare believe that.*

7. **Si** is used instead of **oui** in an affirmative answer to a negative statement:

Vous **n'**irez **pas** là. **Si.**	*You will not go there. Yes (I will go).*
Vous **n'**y allez **pas**? **Si,** j'y vais.	*You are not going there? Yes, I am going there.*
Je dis que **non.** Je dis que **si.**	*I say no. I say yes.*

Exercices

1. Répondez négativement en vous servant de la forme indiquée.

Exemple
Tu parles français? *ne . . . pas* →
Mais non, je ne parle pas français.

1. Tu es étudiant? *ne . . . pas*

   Mais non, je _____

2. Nous ferons cela? *ne . . . point*

   Mais non, nous _____

3. Il l'a vu? *ne . . . pas*

   Mais non, il _____

4. Elle sort en hiver? *ne . . . guère*

   Mais non, elle _____

5. Vous leur montrez le menu? *ne . . . pas*

   Mais non, nous _____

6. Il travaille pendant les vacances? *ne . . . plus*

   Mais non, il _____

7. Elle voit et entend ce qui se passe? *ne . . . ni ne*

   Mais non, elle _____

8. Ils entendent le son des cloches? *ne . . . pas*

   Mais non, ils _____

9. Vous avez vu quelqu'un arriver? *ne . . . personne*

   Mais non, nous _____

10. Ils voient quelque chose? *ne . . . rien*

    Mais non, ils _____

11. Elles viennent chez moi? *ne . . . jamais*

    _____

12. J'irai demain? *ne . . . point*

    Mais non, tu _____

13. Ils sont allés à l'école? *ne . . . plus*

    Mais non, ils _____

14. Il a dix-huit ans? *ne . . . que*

    Mais non, il _____ dix-sept ans.

96

15. Il aime les mathématiques et les sciences?   *ne . . . ni . . . ni*

Mais non, il _____

2. Dites en français:

1. *Nobody listens.* _____

2. *He listens to nobody.* _____

3. *She never speaks.* _____

4. *He is not going (there).* _____

5. *He hardly ever goes to school.* _____

6. *He likes neither milk nor cream.* _____

7. *She can* (savoir) *neither read nor write.* _____

8. *I see nothing.* _____

9. *Tell him not to come.* _____

10. *Do you speak Spanish? Never.* _____

11. *No train will come tonight.* _____

12. *I ask nobody.* _____

13. *Nobody asks me.* _____

14. *She saw nothing.* _____

15. *He said not to work.* _____

16. *What is the matter? Nothing.* _____

17. *I cannot come this afternoon.* _____

18. *They have no boys.* _____

Test

Score: ....

1. Répondez aux questions suivantes en employant **personne, rien, jamais, pas encore, aucun,** etc., selon l'exemple.

Exemple
Qui est là? → Personne.

1. Que voyez-vous? _____

2. Qui voulez-vous? _____

3. Y allez-vous quelquefois? _____

4. Etes-vous prêt? _____

5. Vous avez une bonne raison? (*none*) _____

   6. Parlez-vous allemand? _____

   7. Que faites-vous? _____

   8. Que dites-vous? _____

   9. Sommes-nous près de Montréal? _____

   10. Espérez-vous devenir riche? _____

2. Dites en français. (Ecrivez les réponses).

   1. *I see nobody.* _____

   2. *Nobody sees me.* _____

   3. *They saw nothing.* _____

   4. *Do you speak German?   Never.* _____
   _____

   5. *He does not see her.* _____

   6. *She never sees him.* _____

   7. *They hardly see him.* _____

   8. *She sees only him.* _____

   9. *You do not speak French?   Yes, I speak French.* _____
   _____

   10. *Tell him not to talk.* _____

Marquez 5 points pour chaque réponse sans fautes.

Prepositions

1. The preposition **à**:

A may mean *at* or *to* (motion toward), or indicate function:

Il est **à** la maison.	*He is at home.*
Jean va **à** l'école.	*John goes to school.*
un couteau **à** viande.	*a meat-knife (a knife for cutting meat)*
une tasse **à** thé.	*a tea cup*

It may indicate time:

Le train arrive **à** sept heures.	*The train arrives at seven o'clock.*
Nous mangeons **à** six heures.	*We eat at six o'clock.*
Nous nous levons **à** six heures.	*We get up at six o'clock.*

It may mean *with,* and in this case it must be used with the article:

du café **au** lait	*coffee with milk*
de la soupe **à l'**oignon	*onion soup*

It is used after certain verbs such as **aider, s'amuser, apprendre, arriver, avoir, chercher, commencer, continuer, se décider, enseigner, s'habituer, hésiter, inviter, se mettre, recommencer, réussir, songer,** and **tarder** when they are followed by an infinitive:

Il apprend **à** écrire.	*He learns to write.*
Le chien cherche **à** sortir.	*The dog is trying to get out.*
Il m'enseigne **à** lire.	*He teaches me to read.*
Je vous invite **à** dîner.	*I invite you to dinner.*
Il se met **à** travailler.	*He begins to work.*

2. The preposition **dans**:

It may indicate the time after which a thing will be accomplished:

Je le ferai **dans** cinq minutes.	*I shall do it in (after) five minutes.*
Le train arrive **dans** deux heures.	*The train arrives in (after) two hours.*

It may denote the place in which a thing can be found:

Je le mets **dans** ma valise.	*I put it in my suitcase.*
Marie l'a mis **dans** sa poche.	*Mary put it in her pocket.*

3. The preposition **en**:

It may indicate time in which a thing will be accomplished (duration):

Je peux le faire **en** une heure.	*I can do it in one hour.*

It is used with seasons, except with **printemps**:

Il fait beau **en** automne.	*It is fine in autumn.*
Il neige **en** hiver.	*It snows in winter.*
Il fait chaud **en** été.	*It is warm in summer.*
Il pleut **au** printemps.	*It rains in the spring.*

With dates *in* is translated by **en**:

en 1955	*in 1955*

4. The preposition **de**:

It may indicate place from which:

Je viens **de** l'école.	*I am coming back from school.*
Elle arrive **de** Montréal.	*She is arriving from Montreal.*

It may indicate cause:

Il rit **de** plaisir.	*He is laughing with pleasure.*
Elle pleure **de** joie.	*She is crying with joy.*

It denotes possession:

le livre **de** Jean	*John's book*
l'église **du** village	*the village church*

It is used to indicate measurement or age.

Cette corde a vingt pieds **de** long.	*This rope is twenty feet long.*
Marie est âgée **de** trente ans.	*Mary is thirty years old.*

It may introduce the agent or cause of the action in a passive construction:

Il fut tué **d'**une balle.	*He was killed by a bullet.*
Elle est aimée **de** ses amis.	*She is loved by her friends.*

After many verbs **de** introduces the noun which is the cause, goal, means, object, etc. of the action:

Je vous remercie **de** votre cadeau.	*I thank you for your gift.*
Il est accusé **d'**un vol.	*He is accused of (a) theft.*
Elle a changé **de** robe.	*She changed her dress.*
Il le couvre **de** neige.	*He covers it with snow.*

De is used after certain verbs such as **avoir peur, cesser, craindre, décider, demander*, se dépêcher, dire, écrire, empêcher, essayer, finir, ordonner, oublier, permettre, prier, promettre, refuser, regretter, remercier,** and **tâcher** when they are followed by an infinitive:

Il cesse **de** travailler.	*He stops working.*
Il vous dit **de** venir.	*He says you are to come.*
Je vous ordonne **de** ne pas y aller.	*I order you not to go.*
Je te prie **de** me croire.	*I beg you to believe me.*

De is used after certain verbs when they are followed by an infinitive:

Il cesse **de** travailler.	*He stops working.*
Il vous dit **de** venir.	*He says you are to come.*
Je vous ordonne **de** ne pas y aller.	*I order you not to go.*

The expression **avoir l'intention, avoir besoin** and **avoir le temps** require **de** before an infinitive. **Avoir besoin** also requires **de** before a noun or pronoun:

J'ai l'intention **de** faire une promenade.	*I intend to go for a walk.*
J'ai besoin **d'**aller au bureau.	*I need to go to the office.*
J'ai besoin **de** vous.	*I need you.*

De may indicate manner:

de cette façon	*in this manner*
d'une manière adroite	*in an adroit manner*

5. Other prepositions:

Devant and **avant**:

L'élève est **devant** la classe.	*The pupil is before (in front of) the class.*
Le garçon arrive **avant** les autres.	*The boy arrives before (prior in time to) the others.*

---

* The verb **demander** + *an indirect object* requires **de** before an infinitive.
  Il demande à sortir *but* Il demande à son frère **de** sortir.

Vers and **envers**:

Il se tourne **vers** le mur.
He turns toward the wall (direction).

Il est bon **envers** les animaux.
He is good to animals (moral tendency).

Après:

J'irai **après** le dîner.
I shall go after dinner.

Ce tableau a été fait d'**après** un grand peintre.
This picture is an imitation of a great painter.

Sous and **au-dessous**: *below*

Le crayon est **sous** le livre.
The pencil is underneath the book.

Mettez ce tableau **au-dessous** de l'autre.
Put this picture below the other.

Chez:

Je serai **chez** moi ce soir.
I shall be at home this evening.

Vous parlez comme cela **chez** vous?
You speak that way at home?

Vous trouverez cela **chez** les Français.
You will find that with French people.

Pour and **pendant**:

For, in general, is translated by **pour**.

C'est **pour** vous.
It is for you.

For, meaning a duration of time, is **pendant**.

Il a été malade **pendant** trois semaines.
He was sick for three weeks.

The prepositions **à**, **sur**, and **au-dessus**.

Sur means *on*, and indicates the position of the noun.

Le livre est **sur** la table.
The book is on the table.

A also may mean *on*, but it indicates "at the moment of."

A son arrivée, je serai heureux.
I shall be happy on his arrival.

Au-dessus means *above*.

Il a son nom **au-dessus** de la porte.
He has his name above the door.

The definite article, not a preposition, is used with the days of the week. The article is omitted with **prochain** and **dernier**.

Il arrive toujours **le** samedi.
He always arrives on Saturday.

Je viendrai samedi (prochain).
I shall come (next) Saturday.

The following is a list of the most common prepositions:

à	to, at, in, on, etc.	derrière	behind	parmi	among
après	after, next to	devant	before	pendant	during
avant	before (time)	durant	during	pour	for
avec	with	en	in, to	sans	without
chez	at—'s	entre	between, among	selon	according to
contre	against	envers	towards	sous	under
dans	in, into	jusque	up to, until	sur	on, upon
de	of, from, with, etc.	malgré	in spite of	vers	towards
depuis	since, from	par	by, through		

The following is a list of prepositional locutions:

par-dessus	over	auprès de	close to, by	en route	on the way
par-dessous	under	au-dessus de	above	au lieu de	instead of
autour de	around	au-dessous de	below	à voix basse	in a whisper
près de	near	quant à	as for		
à côté de	beside	à haute voix	aloud		

Exercices

1. Répondez en imitant l'exemple. Employez **chez, dans, en, au, à la, à l', avec, sur, après, de, à.**

   Exemple
   Où allez-vous? *école* → Nous allons à l'école.

   1. Où est-ce que tu vas? *médecin* Je _____

   2. Où va-t-il? *restaurant* Il _____

   3. Où allez-vous? *cinéma* Nous _____

   4. Où vont-ils? *plage* Ils _____

   5. D'où revient-il? *Paris* Il _____

   6. A-t-il cessé? *travailler* Oui, il _____

   7. Où s'amusent-ils? *cour* Ils _____

   8. Où est-ce que tu vas? *église* Je _____

   9. Où sommes-nous? *salle de classe* Vous _____

   10. Avec qui est-elle entrée? *ses amis* Elle _____

   11. Où mets-tu les habits? *valise* Je _____

   12. Avec qui viennent-elles? *Aline* Elles _____

   13. Quel couteau veux-tu? *pain* Je _____

   14. Quand arrive ton avion? *dîner* Il _____

   15. Quel café désires-tu? *lait* Je _____

2. Répondez comme dans l'exercice précédent.

   Exemple
   Quand fait-il froid? *hiver* →
   Il fait froid en hiver.

   1. Qu'est-ce que tu apprends? *lire*

      J' _____

   2. Pourquoi nous invite-t-il? *dîner*

      Il vous _____

   3. Quand l'avion arrive-t-il? *quinze minutes*

      Il _____

   4. Qu'est-ce que tu me pries de faire? *m'accompagner*

      Je _____

   5. Quand fait-il chaud? *été*

      Il _____

6. Quand pleut-il souvent? *printemps*

_____

7. Pourquoi pleures-tu? *joie*

Je _____

8. Quel livre as-tu trouvé? *Jean*

J'ai _____

9. Avec qui va-t-il à l'école? *Jean*

Il _____

10. Quel âge a-t-il? *vingt ans*

Il _____

11. Comment agit-il toujours? *cette façon*

Il _____

12. Où vas-tu? *dentiste*

Je _____

13. De quoi la terre est-elle couverte? *neige*

Elle _____

14. Quand est-il né? *1918*

Il _____

15. Ce fleuve est-il large? *vingt mètres*

Il _____

3. Combinez les deux éléments pour faire une nouvelle phrase de la façon suivante. Employez **devant, avant, vers, envers, pour, pendant, sous.**

Exemple
Où te tourneras-tu? *toi* →
Je me tournerai vers toi.

1. Quand est-ce que j'irai au bal? *soirée*

Tu _____

2. Où est-ce que le chat dort? *le poêle*

Il _____

3. Pour qui as-tu fait cela? *lui*

J' _____

4. Pour combien de temps a-t-elle été absente? *deux mois*

Elle _____

103

5. Est-elle gentille?   *les animaux*

Elle _____

6. Où est-ce que je vous rencontrerai?   *le Louvre*

Tu _____

7. Dans quelle direction va-t-il?   *nous*

Il _____

8. Quand est-il né?   *Jean*

Il _____

9. Quand est-il mort?   *la guerre*

Il _____

10. Il se dévoue?   *elle*

Oui, il _____

11. Elle a été malade?   *un an*

Oui, elle _____

12. Quand es-tu arrivé?   *elle*

Je _____

Prepositions with Names of Places

1. **A** is used before names of cities to express *in* or *to*:
   Il est **à** Paris.   *He is in Paris.*
   Elle va **à** Londres.   *She goes to London.*
   Elle va **à** Québec.   *She is going to Quebec.*

2. **A** is used with the article before names of masculine countries:
   Jean demeure **au** Canada.   *John lives in Canada.*
   Nous sommes **aux** Pays-Bas.   *We are in Holland.*
   Il demeure **au** Québec. (province)   *He lives in Quebec.*

3. **En** is used before names of feminine countries to express *in* or *to*:
   Ils vont **en** France.   *They go to France.*
   Ils resteront **en** Italie.   *They will remain in Italy.*

4. **De,** meaning *from* or *of*, is used without the article before the names of cities and feminine countries:
   Henri revient **d'**Angleterre.   *Henry is returning from England.*
   Elle arrive **de** Londres.   *She is arriving from London.*
   L'histoire **de** France est intéressante.   *The history of France is interesting.*
   Il revient **de** Québec. (ville)   *He is returning from Quebec.*

5. **De,** meaning *from*, is used with the article before the name of a masculine country:
   Ils viennent **du** Mexique.   *They come from Mexico.*
   Je viens **des** États-Unis.   *I come from the United States.*
   Je viens **du** Québec. (province)   *I come from Quebec.*

6. A place-name, when qualified, requires the definite article and **dans** is used instead of **en**:
   dans toute **la** France   *in all of France*

   but:

   dans **l'**Amérique du Nord   *in North America*
   or en Amérique du Nord

Exercices

1. Répondez comme dans l'exemple en vous servant de la préposition nécessaire.

Exemple
Où allez-vous l'été prochain? *France* → En France.

1. Où vas-tu souvent? *Angleterre* _____

2. Où est-il né? *Allemagne* _____

3. Où voyageons-nous? *Italie* _____

4. Où sont-ils? *Canada* _____

5. Où neige-t-il souvent? *Québec (ville)* _____

6. Où est-ce qu'on s'amuse bien? *Nouvelle-Ecosse* _____

7. Où est-ce qu'il fait très froid en hiver? *Manitoba* _____

8. Où est-ce qu'il fait chaud? *Mexique* _____

9. Où êtes-vous? *Etats-Unis* _____

10. D'où revient-il? *Angleterre* _____

11. Quelle histoire étudies-tu? *France* _____

12. Où est-il né? *Paris* _____

13. Où va-t-elle souvent? *Montréal* _____

14. D'où revenez-vous? *Mexique* _____

15. D'où reviens-tu? *Italie* _____

16. Où penses-tu aller? *Toronto* _____

17. Où fait-il beau? *Vancouver (ville)* _____

18. Où est-il maintenant? *Japon* _____

19. Où vas-tu? *Chine* _____

20. Où as-tu passé l'été dernier? *Europe* _____

Test

Score: ....

1. Combinez les deux éléments suivants en vous servant de la préposition nécessaire.

Exemple
Où vas-tu? *Saint-Boniface* →
Je vais à Saint-Boniface.

1. Où est-elle? *Québec (ville)*

Elle _____

2. Où habites-tu? *Canada*

J' _____

3. Où irez-vous? *Paris*

Nous _____

4. D'où revient-il? *France*

Il _____

5. Où fait-il beau? *Vancouver*

Il _____

6. Où passent-elles leurs vacances? *Italie*

Elles _____

7. Où irez-vous? *Québec (province)*

Nous _____

8. D'où reviennent-ils? *Québec (ville)*

Ils _____

9. Où as-tu beaucoup d'amis? *Etats-Unis*

J' _____

10. Où va-t-il? *France*

Il _____

11. Et elle, où va-t-elle? *Mexique*

Elle, elle _____

12. Où vas-tu passer une semaine? *Montréal*

Je _____

13. D'où revient-il? *Canada*

Il _____

14. D'où revenez-vous? *Italie*

Nous _____

15. Quelle histoire aimes-tu? *France*

J' _____

16. Où vas-tu? *Toronto*

Je _____

17. Où voyagent-ils? *Espagne*

Ils _____

18. Où as-tu étudié? *Europe*

J'ai _____

19. D'où reviennent-elles? *Etats-Unis*

Elles _____

20. Où va-t-elle? *Japon*

Elle _____

2. Répondez aux questions en employant les prépositions **à, au, dans, en, de, sur** et **pour,** comme dans l'exemple.

Exemple
Où vas-tu? *Ottawa* →
Je vais à Ottawa.

   1. Quand est-ce que ton train arrive? *minuit*

     Il _____

   2. De quoi Henri parle-t-il? *son travail*

     _____

   3. Quand part ce train? *cinq minutes*

     Il _____

   4. Quand es-tu né? *1960*

     Je _____

   5. Quand fait-il beau? *été*

     Il _____

   6. A qui est ce livre? *Marguerite*

     C'est _____

   7. Qu'est-ce que le bébé apprend? *parler*

     Il _____

   8. Quel café désire-t-il? *lait*

     Il désire du _____

   9. Où sont-elles? *l'église*

     _____

  10. Où est ton compte? *la banque*

     _____

  11. Tu veux du thé? *café*

     Non, je préfère une tasse _____

12. Est-il plus âgé que son frère? *cinq ans*

Oui, il _____

13. Tes étudiants vont-ils comprendre? *commencent*

Oui, ils _____

14. Où vas-tu écrire cela? *le tableau*

Je _____

15. Où se promènent-ils? *rue*

Ils _____

Continuez en employant **après, d'après, avant, devant, vers, envers, pour, pendant.**

16. Quand est-il né? *sa sœur Jeanne*

Il _____

17. Pour qui fais-tu ce travail? *toi*

Je _____

18. De quel côté te tourneras-tu? *mur*

Je _____

19. Tu as étudié le français? *deux ans*

J' _____

20. Quelle belle gravure! *un grand peintre italien*

Ça, c'est _____

Marquez $2\frac{1}{2}$ points pour chaque réponse sans fautes.

Partir, Quitter, Sortir, Laisser

1. **Partir** means *to depart, to go away* or *set out from* (**de**), for (**pour**).

Il **part** demain matin.	*He leaves tomorrow morning.*
A quelle heure **part**-elle?	*At what time is she leaving?*
Il **part** de Montréal.	*He is leaving from Montreal.*
Il **part** pour la France.	*He is leaving for France.*

2. **Quitter** means *to go away* from something or someone, and is followed by a direct object.

Il **quitte** la maison.	*He is leaving the house.*
J'ai **quitté** le monsieur.	*I left the gentleman.*

3. **Sortir** is used to express the idea of going out (in general), going out with someone, going out of a place (always followed by **de** + place). **Sortir** is also used transitively to mean *to take out, to bring out,* or *to pull out.*

Elle **sort** ce soir.	*She is going out this evening.*
Elle **sort** avec Jean.	*She is going out with John.*
Elle **sort** de la maison.	*She goes out of the house.*
Elle **sort** son mouchoir de sa poche.	*She takes her handkerchief out of her pocket.*

4. **Laisser** means to leave something or someone who might be taken along. It is followed by a direct object.

Elle **laisse** ses gants à la maison.	*She leaves her gloves at home.*
Il a **laissé** son fils chez lui.	*He left his son at home.*

■ Exercices ■

1. Répondez à la question **Qu'est-ce que tu fais?** en choisissant le verbe qui convient au sens de la phrase. (**quitter, sortir** ou **laisser**).

Exemple
d'ici → Je sors d'ici.

Qu'est-ce que tu fais?

1. jeudi soir _____

2. la maison de mon père _____

3. mes enfants avec vous _____

4. à six heures _____

110

5. ces gants dans la voiture _____

6. de la classe à cinq heures _____

7. maintenant _____

8. du bureau de poste _____

9. le mouchoir de ma poche _____

10. Montréal à huit heures _____

Use of C'est and Il est

A. The demonstrative pronoun **ce** has two uses.

1. It may be used as an **introductory word** to indicate a subject to follow the verb **être**. The subject could be a **noun** or a **pronoun.**

C'est Montréal.	*It is Montreal.*
C'est Jean qui parle.	*It is John speaking.*
C'est moi.	*It is I.*
C'est nous.	*It is we.*
Ce sont eux.	*It is they.*
Ce sont mes amis.	*They are my friends.*
C'est celui qui parle.	*It is the one who is speaking.*

The introductory **ce** is sometimes translated by *he, she* or *they,* often by *it.*

2. It may be used as an **indefinite demonstrative** to refer to something previously mentioned which has no gender or number.

Il travaille fort.	C'est vrai.
Elle mange beaucoup.	C'est incroyable.

When the verb **être** is followed by a **modified noun** indicating **nationality, occupation, religion,** or **station in life,** the noun is preceded by an article.

C'est un bon médecin.
C'est une jeune Anglaise.
Ce sont des professeurs.

3. **C'est** may be used for **emphasis.** The part of the sentence to be emphasized is placed immediately after it, and is followed by **qui** or **que:**

Elle est allée à Montréal avec sa sœur.
C'est **elle** qui est allée à Montréal avec sa sœur.
C'est **à Montréal** qu'elle est allée avec sa sœur.
C'est **avec sa sœur** qu'elle est allée à Montréal.

B. The personal pronouns **il, elle, ils,** and **elles** are used as the subject of the verb **être** when what follows **être** could **not** be the subject of the sentence. These pronouns refer to some definite aforementioned object which has been named and has gender and number. The words that follow **être** are **adjectives, adverbs,** or **phrases** and therefore could not be the subject of the sentence.

Regardez le lycée.	Il est grand.
Voilà Françoise.	Elle est belle.
Où est Jacques?	Il est dans la salle de classe.
Où est son frère?	Il est ici.

112

When the verb **être** is followed by an **unmodified** noun indicating **nationality, occupation, religion,** or **station in life,** the noun is used in French as an adjective and no article is used.

Il est médecin.

Ils sont professeurs.

C. The impersonal Il

Sometimes the speaker begins a sentence without referring to any previous idea but intends to introduce an idea at the end of the sentence. In such cases, he or she frequently* introduces the thought as follows:

The **impersonal il** + **an adjective** + THE IDEA

Il est intéressant de revoir ses vieux amis.

Il est vrai qu'on ne peut pas réussir sans travailler.

Il serait impossible de travailler tout le temps.

*In spoken French it is not uncommon to hear **ce** used for **il** in such sentences.

C'est vrai qu'on ne peut pas réussir sans travailler.

Exercices

1. Répliquez comme dans l'exemple.

Exemple
Quelle est la capitale de la France? *Paris* →
C'est Paris.

1. Qui est cette jeune fille? *Louise*

   _____

2. Qui est là? *lui*

   _____

3. Est-ce celui-ci ou celui-là que tu

   veux? *celui-ci*

   _____

4. Savez-vous qui a bu la limonade? *les*

   étudiants

   _____

5. Qui a emprunté ce roman? *Hélène*

   _____

6. Quel est ce bâtiment? *le Louvre*

   _____

7. Qui sont ces gens? *mes amis*

   _____

8. Qui a soigné le malade? *un médecin*

   _____

9. Voilà Monsieur Comeau. *un bon*

   professeur

   _____

10. Regardez le musée. *le plus grand de la*

    ville

    _____

2. Répliquez comme dans l'exemple.

Exemple
Voilà le Louvre. *immense* →
Il est immense.

1. Regardez Margot. *jolie*

   _____

2. Où est Jean? *dans sa chambre*

   _____

3. Où est-il? *là*

_____

4. Où est ton père? à *Montréal*

_____

5. Aimez-vous mes amis? *gentils*

_____

6. Je te présente mon ami Albert. *professeur*

_____

7. Voilà son ami. *médecin*

_____

8. Que penses-tu des romans? *intéressants*

_____

3. Répliquez de la même façon en employant **il est** ou **c'est (ce sont)** dans la réponse.

Exemple
J'ai un ami. *Louis* → C'est Louis.

1. Voilà Margot. *notre amie*

_____

2. Voici Jacques qui joue au tennis. *sportif*

_____

3. Où est Henri? *en ville*

_____

4. Voilà Monsieur Leblanc. *professeur*

_____

5. Savez-vous le nom de cet édifice? *La Sorbonne*

_____

6. J'ai vu mon ami Jacques. *médecin*

_____

7. Hélène jouait la reine. *une bonne actrice*

_____

8. Qui est là? *mon amie*

_____

9. Henriette a gagné le premier prix. *intelligente*

_____

10. Enfin, voilà les joueurs. *eux*

_____

4. Répliquez en employant **il est** ou **c'est** avec le mot en italiques.

Exemple
Il étudie fort. *merveilleux* → C'est merveilleux.

1. Je voudrais te voir. *nécessaire*

_____

2. Il n'est jamais là. *curieux*

_____

3. Elle a acheté une voiture. *belle*

_____

4. Je ne veux pas y aller. *impossible*

_____

5. Ils chantent bien. *merveilleux*

_____

6. Jean a bien réussi. *intelligent*

_____

7. J'ai lu un roman de Victor Hugo. *magnifique*

_____

8. Je suis allé à la plage. *agréable*

_____

9. Où est le stylo? *là*

_____

10. Il regarde la peinture. *intéressant*

_____

Score: ....

1. Répliquez en employant **c'est (ce sont)** ou **il est** comme dans l'exemple.

Exemple
Voilà Jeanne! *belle* →
Elle est belle.

  1. Voilà Jean! *français*

_____

  2. Quelle heure est-il? *deux heures*

_____

  3. Quelle belle fille! *une Française*

_____

  4. Je te présente mon ami. *né au Canada*

_____

  5. Pardon, où est-il né? *au Canada qu'il est né*

_____

2. Répondez à la question **Qu'est-ce que tu désires?** comme dans l'exemple, en employant les verbes **quitter, sortir** ou **laisser** selon le sens.

Exemple
Mon fils chez vous. → Je désire laisser mon fils chez vous.

Qu'est-ce que tu désires?
  1. jeudi soir. _____

  2. la maison de son père. _____

  3. mes enfants avec leurs grand-parents. _____

_____

  4. à six heures et demie. _____

  5. ma valise ici. _____

  6. de la classe à cinq heures. _____

  7. maintenant. _____

  8. la ferme pour toujours. _____

_____

  9. d'ici! _____

  10. mon auto dans la cour. _____

_____

115

11. tout de suite. _____

12. dimanche matin. _____

Continuez de la même façon en employant les verbes **partir, quitter** ou **laisser.**

13. demain matin. _____

14. la maison de bonne heure. _____

15. mon manteau dans le corridor. _____

_____

16. toujours du même endroit. _____

17. mes devoirs sur ton bureau. _____

_____

18. samedi prochain. _____

19. le banquet de bonne heure. _____

20. mes gants dans mon auto. _____

Marquez 4 points pour chaque réponse sans fautes.

Formation of Tenses

Principal Parts of the Verb

Present Infinitive	Present Participle	Past Participle	Present Indicative	Simple Past
donner	donnant	donné	je donne	je donnai
finir	finissant	fini	je finis	je finis
attendre	attendant	attendu	j'attends	j'attendis

1. The future and the conditional are formed from the infinitive by adding the proper endings to it. The final **e** is dropped from the infinitives ending in **e**:

Future: **-ai, -as, -a; -ons, -ez, -ont**

je donnerai	nous donnerons	je finirai	nous finirons	j'attendrai	nous attendrons
tu donneras	vous donnerez	tu finiras	vous finirez	tu attendras	vous attendrez
il donnera	ils donneront	il finira	ils finiront	il attendra	ils attendront

Conditional: **-ais, -ais, -ait; -ions, -iez, -aient**

je donnerais	nous donnerions	je finirais	nous finirions	j'attendrais	nous attendrions
tu donnerais	vous donneriez	tu finirais	vous finiriez	tu attendrais	vous attendriez
il donnerait	ils donneraient	il finirait	ils finiraient	il attendrait	ils attendraient

Verbs irregular in the future and conditional are:

acquérir	**j'acquerrai,—j'acquerrais,** etc.,	mourir	**je mourrai**
aller	**j'irai**	pleuvoir	**il pleuvra**
s'asseoir	**je m'assiérai, je m'asseyerai,**	pouvoir	**je pourrai**
	je m'assoirai	recevoir	**je recevrai**
avoir	**j'aurai**	savoir	**je saurai**
courir	**je courrai**	tenir	**je tiendrai**
cueillir	**je cueillerai**	valoir	**je vaudrai**
devoir	**je devrai**	vouloir	**je voudrai**
envoyer	**j'enverrai**	venir	**je viendrai**
être	**je serai**	voir	**je verrai**
faire	**je ferai**		
falloir	**il faudra**		

2. The imperative and the present participle are formed from the present indicative:

The imperative is formed from the second person singular and the first and second person plural. With **-er** verbs the **-s** of the second person singular is dropped.

donne	donnons	donnez
finis	finissons	finissez
vends	vendons	vendez

The second person singular of the imperative takes **-s** before the pronouns **en** and **y**:

donnes-en	vas-y	penses-y

117

The irregular imperatives are:

avoir:	**aie**	**ayons**	**ayez**
être:	**sois**	**soyons**	**soyez**
savoir:	**sache**	**sachons**	**sachez**
vouloir:	**veuille**	**veuillons**	**veuillez**

The present participle is formed by dropping the **-ons** from the first person plural of the present indicative, and adding **-ant**:

donnons	donnant
finissons	finissant
vendons	vendant

The irregular present participles are:

avoir	**ayant**
être	**étant**
savoir	**sachant**

3. The imperfect is formed by dropping the **-ons** from the first person plural of the present indicative and adding the endings **-ais, -ais, -ait, -ions, -iez, -aient** as follows:

je donnais	nous donnions
tu donnais	vous donniez
il donnait	ils donnaient

The only exception is:
être — **j'étais**

4. To form the present subjunctive in the first and second person plural, drop the **-ant** of the present participle and add **-ions** and **-iez**. To form the other persons drop the **-ent** of the third person plural of the present indicative, and add **-e, -es, -e, -, -,** and **-ent**:

venir: venant	que nous venions
	que vous veniez
ils viennent	que je vienne
	que tu viennes
	qu'il vienne
	qu'ils viennent

The irregular subjunctives are:

aller	**que j'aille, que nous allions**
avoir	**que j'aie, que nous ayons**
être	**que je sois, que nous soyons**
faire	**que je fasse, que nous fassions**
falloir	**qu'il faille**
pouvoir	**que je puisse, que nous puissions**
savoir	**que je sache, que nous sachions**
valoir	**que je vaille, que nous valions**
vouloir	**que je veuille, que nous voulions**

5. From the past participle are formed all the compound tenses and the passive voice. Most verbs form their compound tenses with the auxiliary **avoir,** but some, including all reflexive verbs, are conjugated with **être**. The following is a list of all verbs other than reflexive verbs conjugated with **être**.

aller	arriver	entrer	descendre	naître	rester
venir	partir	sortir	monter	mourir	tomber

The verbs **descendre, monter, sortir** may sometimes take a direct object and in that case are transitive and are conjugated with the auxiliary **avoir.**

Elle est descendue à sept heures.

but:

Elle a descendu la valise.
Je suis monté à ma chambre.
J'ai monté la chaise.
Nous sommes sortis de la classe.
Nous avons sorti nos livres.

Spelling Changes in Certain Verbs of the First Conjugation

1. Verbs ending in -cer

Since **c** is pronounced like **s** only before **e** and **i** and like **k** before **a, o** and **u**, verbs whose infinitives end in **-cer** change **c** to **ç** when the **c** is followed by **a, o,** or **u,** in order to preserve the **s** sound of the **c.** Changes are made in the following tenses and in the imperfect subjunctive.

Exemple:
placer (commencer, tracer, effacer, etc.)

Present Participle	Present Indicative	Imperfect Indicative	Past Definite
plaçant	je place	**je plaçais**	**je plaçai**
	tu places	**tu plaçais**	**tu plaças**
	il place	**il plaçait**	**il plaça**
	nous plaçons	nous placions	**nous plaçâmes**
	vous placez	vous placiez	**vous plaçâtes**
	ils placent	**ils plaçaient**	ils placèrent

2. Verbs in -ger

Since **g** is pronounced like **g** in gate before **a, o,** and **u,** and like **s** in measure before **e** and **i,** verbs whose infinitive end in **-ger** insert **e** between **g** and the vowels **a, o** and **u.** Changes are made in the following tenses and in the imperfect subjunctive.

Exemple:
changer (manger, ranger, voyager, charger, etc.)

Present Participle	Present Indicative	Imperfect Indicative	Past Definite
changeant	je change	**je changeais**	**je changeai**
	tu changes	**tu changeais**	**tu changeas**
	il change	**il changeait**	**il changea**
	nous changeons	nous changions	**nous changeâmes**
	vous changez	vous changiez	**vous changeâtes**
	ils changent	**ils changeaient**	ils changèrent

3. Verbs ending in -yer, -oyer and -uyer

Verbs ending in **-yer, -oyer** and **-uyer** change **y** to **i** before a mute **e** in the following syllable. This change occurs throughout the present, except the **nous** and **vous** forms, and throughout the *entire future* and *conditional.* Verbs ending in **-ayer** may or may not change **-y** before **e** mute.

119

Exemple:
nettoyer (ennuyer, balayer, etc.)

Present Indicative	Present Subjunctive	Future	Conditional
je nettoie	**que je nettoie**	**je nettoierai**	**je nettoierais**
tu nettoies	**que tu nettoies**	**tu nettoieras**	**tu nettoierais**
il nettoie	**qu'il nettoie**	**il nettoiera**	**il nettoierait**
nous nettoyons	que nous nettoyions	**nous nettoierons**	**nous nettoierions**
vous nettoyez	que vous nettoyiez	**vous nettoierez**	**vous nettoieriez**
ils nettoient	**qu'ils nettoient**	**ils nettoieront**	**ils nettoieraient**

4. Verbs in -e- plus **a single consonant** plus **er.**

Many verbs, such as **lever, mener, acheter, peler, semer,** whose stems end in an unaccented **e** plus a single consonant, place a grave accent (`) over this **e** whenever the following syllable also has a mute **e.** This indicates that the pronunciation of the **e** of the stem becomes **è** and is pronounced. The grave accent is found throughout the singular and in the third person plural of the present indicative and the subjunctive as well as throughout the entire future and conditional.

Exemple:
semer (mener, acheter, modeler, etc.)

Present Indicative	Present Subjunctive	Future	Conditional
je sème	**que je sème**	**je sèmerai**	**je sèmerais**
tu sèmes	**que tu sèmes**	**tu sèmeras**	**tu sèmerais**
il sème	**qu'il sème**	**il sèmera**	**il sèmerait**
nous semons	que nous semions	**nous sèmerons**	**nous sèmerions**
vous semez	que vous semiez	**vous sèmerez**	**vous sèmeriez**
ils sèment	**qu'ils sèment**	**ils sèmeront**	**ils sèmeraient**

5. Verbs in -é- plus **a single consonant** plus **er**

Verbs whose stems end in **è** followed by a single consonant change this **é** to **è** throughout the singular and in the third person plural of the present indicative and present subjunctive. (Note that in those forms the following syllable has a mute **e**). In the future and conditional the **é** is kept in writing but is usually pronounced **è**. This is due to the fact that a vowel tends to open in a closed syllable.

Exemple:
préférer (espérer, régler, céder, etc.)

Present Indicative	Present Subjunctive	Future	Conditional
je préfère	**que je préfère**	je préférerai	je préférerais
tu préfères	**que tu préfères**	tu préféreras	tu préférerais
il préfère	**qu'il préfère**	il préférera	il préférerait
nous préférons	que nous préférions	nous préférerons	nous préférerions
vous préférez	que vous préfériez	vous préférerez	vous préféreriez
ils préfèrent	**qu'ils préfèrent**	ils préféreront	ils préféreraient

6. Verbs ending in -eler and some in -eter

Verbs ending in **-eler** and a number ending in **-eter** double the **l** or **t** when the next syllable contains a mute **e.** This change takes place in the singular and third person plural of the *present indicative* and of the *present subjunctive* and *throughout the future and conditional.*

120

Exemple:
appeler (jeter)

Present Indicative	Present Subjunctive	Future	Conditional
j'appelle	**que j'appelle**	**j'appellerai**	**j'appellerais**
tu appelles	**que tu appelles**	**tu appelleras**	**tu appellerais**
il appelle	**qu'il appelle**	**il appellera**	**il appellerait**
nous appelons	que nous appelions	**nous appellerons**	**nous appellerions**
vous appelez	que vous appeliez	**vous appellerez**	**vous appelleriez**
ils appellent	**qu'ils appellent**	**ils appelleront**	**ils appelleraient**

Present Tense

1. The *present tense* expresses the following *three* forms of the English present tense: *I give, I am giving, I do give*.

2. The conjugation of the present tense:

chanter	**finir**	**entendre**
je chante	je finis	j'entends
tu chantes	tu finis	tu entends
il chante	il finit	il entend
nous chantons	nous finissons	nous entendons
vous chantez	vous finissez	vous entendez
ils chantent	ils finissent	ils entendent

être	**avoir**
je suis	**j'ai**
tu es	**tu as**
il est	**il a**
nous sommes	**nous avons**
vous êtes	**vous avez**
ils sont	**ils ont**

3. Special uses of the present tense:
   It is used after **si** to refer to the future time.

   Si j'ai le temps, je ferai cela. *If I have time, I shall do that.*

   It is used to express the idea of action started in the past and continued in the present, with **depuis, il y a . . . que, voici (voilà) . . . que, depuis . . . que, depuis que, depuis quand?**

   Je suis en France **depuis** quinze jours. *I have been in France for two weeks.*
   Il y a deux semaines **que** je vous attends. *I have been waiting for you for two weeks.*
   Voilà une heure **qu'**il parle. *He has been talking for an hour.*
   Depuis quand êtes-vous ici? *How long have you been here?*

   It is often used when the present tense is implied.

   Est-ce la première fois que vous **venez** au Canada? *Is this the first time that you have come to Canada?*

   See the table of irregular verbs for irregular forms of the present tense.

Exercices

1. Répondez à la question **Qu'est-ce que tu fais?** comme dans l'exemple.

   Exemple
   chanter une chanson française → Je chante une chanson française.

   Qu'est-ce que tu fais?
   1. répondre à la question du professeur _____

   2. parler français _____

3. étudier les langues _____

4. finir mon devoir _____

5. choisir un chapeau neuf _____

6. chanter bien _____

7. commencer la lecture _____

8. vendre ces bonbons à bon marché _____

2. Répondez à la question **Qu'est-ce que vous faites?** suivant l'exemple.

Exemple
aller en ville → Nous allons en ville.

Qu'est-ce que vous faites?

1. étudier le français _____

2. parler français couramment _____

3. ouvrir la porte _____

4. partir pour la France _____

5. dormir mal _____

6. recevoir des nouvelles de nos amis _____

_____

7. manger au restaurant tous les jours _____

_____

8. lire des romans français _____

9. envoyer un cadeau à un ami _____

10. vendre des légumes _____

11. attendre un ami _____

12. appeler notre chien _____

3. Répondez à la question **Qu'est-ce qu'ils font?** comme dans l'exemple.

Exemple
marcher lentement → Ils marchent lentement.

Qu'est-ce qu'ils font?

1. acheter des cadeaux _____

2. manger des gâteaux _____

3. céder leurs places aux femmes _____

4. lancer des pierres à l'eau _____

5. mener une vie intéressante _____

6. semer le blé _____

7. téléphoner chez leurs amis _____

8. jeter l'ancre à l'eau _____

9. s'asseoir sur le vieux banc de l'école _____

_____

10. faire trop de bruit _____

4. Comment demandez-vous à un ami . . .

Exemple
s'il parle français? → Parles-tu français?

1. s'il veut faire une promenade avec vous? _____

2. s'il mange des frites? _____

3. s'il espère venir avec ses amis? _____

4. s'il commence à comprendre? _____

5. s'il envoie des cartes de Noël à ses amis? _____

_____

6. s'il appelle son chien, Médor? _____

7. s'il préfère manger ou dormir? _____

8. s'il reçoit des nouvelles de son amie? _____

_____

9. s'il peut vous accompagner? _____

10. s'il mène une vie tranquille? _____

5. Faites comme dans l'exemple.

Exemple
Je mange des frites. →
Moi aussi, je mange des frites.

1. Je commence à comprendre.

Très bien, tu _____

2. Je préfère ce cours.

D'accord, tu _____

3. Je n'achète pas de cadeaux de Noël.

Quoi, tu _____

4. Je cède mon siège au vieillard.

Bien entendu, tu _____

5. Je jette mes vieilles chaussures au feu.

Bien entendu, tu _____

6. Je mange beaucoup d'oranges.

Bien sûr, tu _____

7. Je mène une vie tranquille.

Evidemment, tu _____

8. J'espère aller en France cet été.

Ah bon, tu _____

9. Je fais mes devoirs tous les soirs.

Apparemment, tu _____

10. Je règle toujours mes comptes à la fin du mois.

Heureusement, tu _____

The Present Participle

To form the *present participle,* remove the **-ons** from the first person plural of the present indicative and add **-ant:**

donner	donn-ons	donnant
finir	finiss-ons	finissant
entendre	entend-ons	entendant

Exceptions:

avoir	ayant
être	étant
savoir	sachant

1. When the present participle is used as a verbal adjective, it agrees with the noun it modifies in gender and in number. In its adjectival use it expresses a state or condition.

Cette histoire est intéressante.	*This story is interesting.*
Elle parlait d'une voix tremblante.	*She spoke in a trembling voice.*

2. When it is used verbally to denote simultaneous action, it is invariable and does not agree. The present participle expresses an action when:

it has a direct object:

Les enfants, voyant le professeur, poussèrent des cris.	*The children, seeing the professor, cried out.*

it can be replaced by **qui** and another form of the verb:

Mon père, voyant (qui voyait) ma misère, me donna de l'argent.	*My father, seeing (who saw) my misery, gave me some money.*

it is preceded by **en:**

J'ai fait mon travail **en** vous attendant.	*I did my work while waiting for you.*
J'ai réussi **en** travaillant.	*I succeeded by working.*
En apprenant l'histoire, il riait.	*Upon hearing the story, he laughed.*

Exercices

1. Répondez comme dans l'exemple.

Exemple
Quand parlait-il? *Il sortait.* →
Il parlait en sortant.

   1. Comment gagnait-il sa vie? *Il s'amusait.*

2. Comment est-ce que j'ai appris à lire? *Tu lisais.*

_____

3. Quand Jean est-il tombé? *Il allait à l'école.*

_____

4. Comment est-ce qu'on vit longtemps? *On est heureux.*

_____

5. Quand a-t-il souri? *Il apprenait la nouvelle.*

_____

6. Quand chantait-elle? *Elle faisait son travail.*

_____

7. Quand est-il sorti? *Il entendait ces mots.*

_____

8. Comment apprend-on à danser? *On danse.*

_____

9. Comment est-ce qu'on réussit? *On se casse un peu la tête.*

_____

10. Quand donna-t-il l'ordre? *Il sortait.*

_____

2. Répliquez comme dans l'exemple en vous servant du participe présent comme adjectif.

Exemple
Regardez le livre. *intéressant* →
C'est un livre intéressant.

1. Voyez la jeune fille. *charmant*

_____

2. Regardez ce diamant. *brillant*

_____

3. Quelles petites feuilles. *tremblant*

Ce sont _____

4. J'ai vu ce monsieur. *amusant*

_____

5. Quelle journée! *fatigant*

_____

3. Répliquez comme dans l'exemple.

Exemple
Il est médecin et il veut guérir les malades. →
Etant médecin, il veut guérir les malades.

1. Elle était professeur et elle voulait enseigner.

_____

2. Ils sont paresseux et ils ne veulent pas travailler.

_____

3. Il veut réussir et il étudie.

_____

4. Nous savons nos leçons et nous voulons nous amuser.

_____

5. Elles ne sont pas riches et elles travaillent fort.

_____

6. J'ai vu mes fautes et je les ai corrigées.

_____

7. Il a cru ce qu'il a entendu et il l'a répété.

_____

8. Il a appris la nouvelle et il s'en est allé.

_____

9. Elle a bien compris les explications et elle a réussi.

_____

10. Nous ne savions pas le français et nous faisions beaucoup de fautes.

_____

Imperative

The *imperative* is used to express command.

Exemple

Parler	*To speak*	
Parle!	*Speak!*	(2nd person singular)
Parlons!	*Let us speak!*	(1st person plural)
Parlez!	*Speak!*	(2nd person plural)

See Unit 26 for the formation of the imperative.

Exercices

1. Faites comme dans l'exemple.

Exemple
Notre ami nous a invités à parler français. →
Alors, parlons français.

Notre ami nous a invités à . . .

1. boire de la limonade. _____

2. aller à la piscine. _____

3. aller en classe. _____

4. travailler plus fort. _____

5. manger des bonbons. _____

6. conduire moins vite. _____

7. y aller tout de suite. _____

8. bien écouter sa chanson. _____

9. bien nous amuser. _____

10. jouer au tennis. _____

2. Faites comme dans l'exemple.

Exemple
Comment dites-vous à une personne de chanter une chanson pour vous? →
Chantez donc une chanson pour nous.

Comment dites-vous à une personne . . .

1. de boire son café pendant qu'il est encore chaud?

_____

2. de fermer la porte de la grange?

_____

3. d'écouter attentivement le disque?

_____

4. de vous attendre à la sortie?

_____

5. de parler lentement et distinctement?

_____

6. de choisir un cadeau pour vous?

_____

7. d'acheter un billet de théâtre pour vous?

_____

8. de croire ce que vous dites?

_____

9. de conduire moins vite?

_____

10. d'y aller?

_____

3. Faites comme dans l'exemple.

Exemple
Comment dites-vous à un enfant de ne pas pleurer? →
Ne pleure donc pas.

Comment dites-vous à un enfant . . .

1. de ne pas manger?

_____

2. de ne pas sortir?

_____

3. de ne pas courir?

_____

4. de ne pas boire?

_____

5. de ne pas fermer la fenêtre?

_____

6. de ne pas crier si fort?

_____

7. de ne pas perdre sa balle?

_____

8. de ne pas faire de grimaces?

_____

9. de ne pas s'asseoir sur le divan neuf?

_____

Imperfect Tense

1. The *imperfect* corresponds to the progressive or habitual form expressed in English by: *I was singing*, or *I used to sing*.

2. The most frequent uses of the imperfect are as follows:

to describe a state of things in the past:
Elle était heureuse.   *She was happy.*
Jean était malade.   *John was sick.*

to express habitual action in the past:
Il se levait à six heures tous les matins.   *He got up at six o'clock every morning.*
Elle dansait tous les soirs.   *She used to dance every evening.*

to describe persons, things or weather conditions in the past:
La reine était habillée tout en bleu.   *The queen was dressed entirely in blue.*
Pendant l'été de 1904 il faisait très chaud. *During the summer of 1904 it was very hot.*

to describe what was going on while something else happened:
Elle chantait quand je suis arrivé.   *She was singing when I arrived.*
Tu dansais quand elle est arrivée.   *You were dancing when she arrived.*

to describe an action or state begun at an earlier period and still continuing at the time referred to:
Elle était ici depuis un an quand elle mourut. *She had been here a year when she died.*
La lettre que j'attendais depuis longtemps   *The letter I had been expecting for a long time*
arriva enfin.   *finally arrived.*

after **si** when the verb in a result clause is in the conditional:
Si elle travaillait, elle réussirait.   *If she worked, she would succeed.*
Si Maurice avait le temps, il viendrait.   *If Maurice had the time, he would come.*
Jeanne a dit qu'elle viendrait si elle pouvait. *Joan said she would come if she could.*

Exercices

1. Transformez les phrases suivantes en employant l'imparfait comme dans l'exemple.

Exemple
Aujourd'hui, elle est heureuse. →
Oui, mais auparavant, elle était malheureuse.

1. Aujourd'hui il parle français.

Oui, mais auparavant _____ seulement anglais.

2. En ce moment, il lit une histoire.

Oui, mais autrefois _____ un roman.

3. Maintenant, elle admire ce garçon.

Oui, mais d'habitude _____ son ami.

4. Cette semaine, nous étudions l'anglais.

Oui, mais d'habitude vous _____ le français.

5. A présent, elle sait l'espagnol.

Oui, mais autrefois elle ne _____ que l'anglais.

6. Aujourd'hui, ils sont en bonne santé.

Oui, mais autrefois ils _____ toujours malades.

7. Cet été, il pleut presque tous les jours.

Oui, mais autrefois _____ rarement.

8. Enfin, nous sommes en France!

Oui, mais autrefois vous _____ encore en Angleterre.

2. Répondez à la question **Que faisais-tu quand il est arrivé?** comme dans l'exemple.

Exemple
chanter → Je chantais quand il est arrivé.

1. dormir _____

2. sortir de la classe _____

3. servir le repas _____

4. manger du gâteau _____

5. boire du thé _____

6. se lever _____

7. étudier _____

8. ouvrir la porte _____

9. s'asseoir dans le fauteuil _____

10. accueillir mes amis _____

3. Répondez à la question **Que faisions-nous quand elle a téléphoné?** comme dans l'exemple.

Exemple
dormir → Vous dormiez quand elle a téléphoné.

Que faisions-nous quand elle a téléphoné?

1. parler _____

2. regarder la télévision _____

3. laver la vaisselle _____

4. se reposer _____

5. écrire une lettre _____

6. prendre un bain _____

7. étudier vos leçons _____

8. faire vos devoirs _____

9. lire le journal _____

10. travailler _____

4. Combinez les deux éléments pour faire une nouvelle phrase en employant la forme correcte de l'imparfait.

Exemple
Si (elle travaille), elle réussirait. →
Si elle travaillait, elle réussirait.

1. Si (j'étudie), je réussirais.

_____

2. Si (vous courez), vous tomberiez.

_____

3. Si (il sort), il verrait ses amis.

_____

4. Si (il pleut), nous nous reposerions.

_____

5. Si (tu parles), il t'écouterait.

_____

6. Si (nous travaillons), nous réussirions.

_____

7. Si (tu ris), il se fâcherait.

_____

8. Si (elles écrivent), nous leur répondrions.

_____

9. Si (elle prend un billet), elle irait sans doute.

_____

10. Si (tu lui permets), il entrerait.

_____

5. Dites en français:

1. *She was happy in Alberta.*

_____

134

2. *He was ill yesterday.*

_____

3. *It was fine last week. (weather)*

_____

4. *She was dressed* (habiller) *in blue.*

_____

5. *It was warm yesterday morning.*

_____

6. *She danced every evening.*

_____

7. *He had been here a month when he met his old friend.*

_____

6. Répliquez en employant la forme correcte de l'imparfait.

Exemple
Aujourd'hui, il chante bien. → Autrefois, il chantait mal.

1. Aujourd'hui, il parle français.

Autrefois, il _____ anglais.

2. Aujourd'hui, elle sort souvent.

Auparavant, elle _____ pas.

3. Aujourd'hui, nous écoutons des disques anglais.

Auparavant, vous _____ français.

4. Aujourd'hui, nous venons voir nos amis.

D'habitude, vous _____ vos parents.

5. Aujourd'hui, nous sommes en classe.

D'habitude, vous _____ gymnase.

6. Aujourd'hui, il achète des cadeaux pour ses enfants.

Souvent, il _____ sa femme.

7. Aujourd'hui, elles prennent du café.

D'habitude, elles _____ du thé.

8. Aujourd'hui, elle se tient debout pour parler.

D'habitude, elle _____ même pour écouter.

9. Aujourd'hui, je veux y aller avec toi.

Souvent, tu _____ sans moi.

10. Aujourd'hui, nous nous amusons bien.

Autrefois, vous _____ mal.

Perfect Tense; Agreement of the Past Participle

The perfect tense

1. The *perfect tense*, sometimes called the past indefinite, or in French, the **passé composé,** is formed by combining the present indicative of the auxiliary **avoir** or **être** with the past participle of the verb.

J'ai donné.	*I have given,* or *I gave.*
J'ai fini.	*I have finished,* or *I finished.*
J'ai entendu.	*I have heard,* or *I heard.*
Je suis allé.	*I have gone,* or *I went.*

2. This tense is used to indicate what is completely finished at the time of speaking.

J'ai donné du lait au chat.	*I gave the cat some milk.*
Il a fini son travail.	*He has finished his work.*

3. In conversation, letters or familiar style it replaces the past definite (**passé simple**).

Il répondit: "J'ai fini mon travail."	*He replied: "I've finished my work."*

See the table of irregular verbs for irregular past participles.

The past participle

1. When no auxiliary is used, the past participle, like an adjective, agrees with the noun it modifies in number and in gender.

La leçon terminée . . .	*The lesson completed . . .*
Les livres finis . . .	*The books finished . . .*

2. When the verb is conjugated with **avoir,** the past participle agrees with the preceding direct object, which may be either a noun or a pronoun.

Les fleurs que j'ai achetées . . .	*The flowers I bought . . .*
Avez-vous acheté les fleurs? Oui, je les ai achetées.	*Did you buy the flowers? Yes, I bought them.*
Les lettres qu'il m'a écrites . . .	*The letters he wrote me . . .*

3. When the verb is conjugated with **être,** the past participle agrees with the subject in gender and in number. This rule does not, however, apply with reflexive verbs.

Elle est allée.	*She went.*
Ils sont allés.	*They went.*

4. Although reflexive verbs are conjugated with **être**, their past participles agree in number and in gender with the preceding direct object. When a reflexive verb is followed by a direct object, the reflexive pronoun becomes indirect.

Elle s'est levée de bonne heure.	*She got up early.*
Elles se sont écrit des lettres.	*They wrote letters to one another.*
Ils se sont lavés.	*They washed (themselves).*
Ils se sont lavé les mains.	*They washed their hands.*

5. There is no agreement of the past participle with **en**. However, if **en** is preceded by **combien, plus,** or **moins,** and the sense is plural, there may be agreement.

Il **en** a donné.	*He gave some.*
Donnez-moi les livres. Combien **en** avez-vous lus?	*Give me the books. How many have you read?*
Plus } il vous a donné de pommes, **Moins** }	*The more* } *apples he gave you,* *The fewer* }
plus } vous en avez mangées. **moins** }	*the more* } *you ate.* *the fewer* }

6. If the direct object is an expression like **combien de, que de, autant de,** etc., the past participle agrees with the noun which follows these expressions.

Combien de pommes avez-vous achetées?	*How many apples did you buy?*
Que de livres il a écrits!	*What a lot of books he has written!*
Autant de batailles il a livrées, **autant de** victoires il a remportées.	*He won as many battles as he fought.* (lit. *As many battles he fought, as many victories he won.*)

7. The past participle is invariable in the following special cases:

When it is the past participle of an impersonal verb:

La nuit orageuse qu'il a fait!	*What a stormy night it was!*

When it is **fait** followed by an infinitive:

Je les ai fait écrire.	*I made them write.*
Ils nous ont fait parler.	*They made us talk.*

When **dit, cru, su, pu, voulu, dû,** and **osé** have an infinitive (understood) as a direct object:

J'ai pris toutes les pommes que j'ai voulu (prendre).	*I took all the apples I wanted (to take).*

When the preceding direct object is governed by an infinitive following the past participle.

La robe que j'ai oublié de coudre . . .	*The dress I forgot to sew . . .*

But:

La robe que j'ai oubliée à la maison.

Exercices

1. Répondez à la question comme dans l'exemple.

Il parle français, n'est-ce pas? → Mais oui, bien sûr, il a toujours parlé français.

1. Il chante bien, n'est-ce pas?

   _____

2. Elle fait de son mieux, n'est-ce pas?

   _____

3. Nous répondrons à ses lettres, n'est-ce pas?

   _____

4. Tu parles à Lucille, n'est-ce pas?

   _____

5. Elles achètent des fleurs, n'est-ce pas?

   _____

6. Vous connaissez Pierre, n'est-ce pas?

   _____

7. Il s'en va, n'est-ce pas?

   _____

8. Tu prends l'autobus, n'est-ce pas?

   _____

9. Tu te couvres la tête, n'est-ce pas?

   _____

10. Elle part de bonne heure, n'est-ce pas?

    _____

2. Répliquez comme dans l'exemple.

   Exemple
   Elle achète une robe. → Mais elle a déjà acheté une robe.

   1. Elle descend du train. Mais elle _____

   2. Ils envoient de l'argent à leurs parents. Mais ils _____

      _____

   3. Ecrivez à vos amis. Mais nous _____

   4. Buvez votre café. Mais nous _____

   5. Réponds à sa lettre. Mais j'ai _____

   6. Elle va en France. Mais elle _____

   7. Elles sortent ce soir. Mais elles _____

   8. Ils achètent des escargots. Mais ils _____

      _____

   9. Nous lisons ce roman. Mais vous _____

   10. Envoie un télégramme à Robert. Mais j'ai _____

       _____

138

3. Faites des répliques au **passé composé** comme dans les exemples.

Exemples
Je vais à Québec. →
Moi aussi, je suis allé à Québec.

Je ne parle pas italien. →
Moi non plus, je n'ai jamais parlé italien.

1. Elle écrit une lettre à ses parents.

   Lui aussi, _____

2. Il reste à la maison le samedi.

   Moi aussi, _____

3. Il chante une chanson anglaise.

   Toi aussi, _____

4. Nous descendons du train sans délai.

   Vous aussi, _____

5. Je m'assieds par terre.

   Moi aussi, _____

6. Vous achetez des pommes de la Colombie Britannique.

   Nous aussi, _____

7. Elles prennent leur temps.

   Vous aussi, _____

8. Nous cueillons des roses.

   Nous aussi, _____

9. Nous allons au lycée Montcalm.

   Nous aussi, _____

10. Il reçoit des nouvelles de Jean.

    Moi aussi, _____

11. Nous voyons la carte de France.

    Eux aussi, _____

12. Je ne bois pas de café.

    Moi non plus, _____

13. Il connaît ton frère.

    Elle aussi, _____

14. Nous dormons bien.

    Nous aussi, _____

15. Il fait de son mieux.

Moi aussi, _____

16. Elle aime beaucoup Québec.

Moi aussi, _____

17. Elle étudie le français.

Nous aussi, _____

18. Il appelle son chien Médor.

Nous aussi, _____

19. Ils ne mènent pas une vie tranquille.

Eux non plus, _____

20. Il jette une pièce de monnaie dans la fontaine.

Elle aussi, _____

4. Répondez à la question **Qu'est-ce que j'ai fait?** comme dans l'exemple.

Exemple
parler français →
Tu as parlé français.

Qu'est-ce que j'ai fait?

1. écrire une lettre

_____

2. recevoir une lettre de Paul

_____

3. arriver de bonne heure

_____

4. voir un film

_____

5. venir juste à temps

_____

6. chanter une belle chanson

_____

7. parler à Alphonse

_____

8. aller à Winnipeg

_____

9. acheter des tomates

_____

10. rester à la maison

_____

11. finir le devoir

_____

12. descendre de bonne heure

_____

13. couper la corde

_____

14. sortir tard

_____

15. entrer malgré lui

_____

5. Répondez à la question **Qu'est-ce qu'elle a fait?** comme dans l'exemple.

Exemple
voir la Rochelle → Elle a vu la Rochelle.

1. lire le journal _____
2. parler français _____
3. acheter des romans _____
4. faire une promenade _____
5. descendre la malle _____
6. laver la vaisselle _____
7. payer le marchand, n'est-ce pas? _____
8. se laver _____
9. se laver les mains _____
10. se couper le doigt _____
11. s'habiller avant les autres _____
12. se lever de bonne heure _____
13. sortir sans rien dire _____
14. aller au Manitoba _____
15. finir de lire le livre _____
16. venir nous voir pendant les vacances _____
17. descendre sans délai _____
18. mourir à l'âge de cent ans _____
19. écrire à ses amis _____
20. voir le lever du soleil _____

6. Répliquez selon l'exemple en employant la forme correcte du participe passé.

Exemple
Voilà la musique. *entendre* → Mais cette musique, je l'ai déjà entendue.

1. Voilà une photo. *voir*

_____

2. Voilà un monsieur. *rencontrer*

_____

3. Voilà le journal. *lire*

_____

4. Voilà la facture. *payer*

_____

141

5. Voilà les roses. *acheter*

_____

6. Voici le devoir. *faire*

_____

7. Voici la malle. *descendre*

_____

8. Voici le trophée. *voir*

_____

9. Voici le bureau de poste. *visiter*

_____

10. Voici les stylos. *employer*

_____

7. Répliquez comme dans l'exemple.

Exemple
Avez-vous des pommes? *manger* →
Oui, nous en avons déjà mangé.

1. Avez-vous de l'argent? *gagner*

_____

2. Avez-vous des oranges? *acheter*

_____

3. Avez-vous du café? *boire*

_____

4. Avez-vous de la crème? *trouver*

_____

5. Avez-vous des romans sur Québec? *lire*

_____

6. Avez-vous de la viande? *commander*

_____

7. Avez-vous des cartes postales? *envoyer*

_____

8. Avez-vous des robes neuves? *recevoir*

_____

8. Répondez à la question **Qu'est-ce que tu as fait faire aux étudiants?** comme dans l'exemple.

Exemple
les faire travailler fort → Je les ai fait travailler fort.

Qu'est-ce que tu as fait faire aux étudiants?

    1. les faire écrire une lettre _____

    2. les faire parler plus fort _____

    3. les faire répéter la phrase _____

    4. les faire écouter la musique _____

    5. les faire étudier leur leçon _____

9. Répondez à la question comme dans l'exemple.

Exemple
Vas-tu voir l'exposition? →
Mais non, je l'ai déjà vue.

    1. Va-t-il commander ces roses?

    _____

    2. Veulent-elles voir ces films?

    _____

    3. Vas-tu regarder ces photos?

    Mais non, je _____

    4. Va-t-elle lire ces lettres?

    _____

    5. Veux-tu vendre ces roses?

    Mais non, je _____

10. Répondez en faisant les changements nécessaires comme dans les exemples.

Exemples
Moi, je suis né au Canada. Et elle? →
Elle aussi, elle est née au Canada.

Lui, il est allé en France. Et Maurice? →
Lui aussi, il est allé en France.

    1. Moi, j'ai vu les soldats ce matin. Et elle?

    _____

    2. Moi, je lui ai fait lire sa leçon. Et Hélène?

    _____

3. Moi, j'y suis allé hier soir. Et Alphonse?

_____

4. Moi, je lui ai donné une pomme. Et elle?

_____

5. Moi, je me suis lavé les mains. Et elles?

_____

6. Lui, il est descendu du grenier. Et elle?

_____

7. Moi, je me suis levé de bonne heure ce matin. Et elles?

_____

8. Lui, il est arrivé tôt. Et Paul et Lucille?

_____

Past Definite Tense

1. Formation of the *past definite:*

donner	finir	rendre
je donnai	je finis	je rendis
tu donnas	tu finis	tu rendis
il donna	il finit	il rendit
nous donnâmes	nous finîmes	nous rendîmes
vous donnâtes	vous finîtes	vous rendîtes
ils donnèrent	ils finirent	ils rendirent

avoir		être	
j'eus	nous eûmes	je fus	nous fûmes
tu eus	vous eûtes	tu fus	vous fûtes
il eut	ils eurent	il fut	ils furent

2. The essential difference between the perfect (**passé composé**) and the past definite (**passé simple**) is that the past definite is used in narration or in the written language, and never in conversation or in a familiar style of writing.

La Première Guerre Mondiale éclata en 1914.   *The First World War broke out in 1914.*

Il répondit: "Je n'ai pas joué ce soir."   *He replied: "I haven't played this evening."*

3. The past definite is used to denote a fact or action that took place at a definite time in the past, and was completed then and there.

Il partit à cinq heures.   *He left at five o'clock.*

4. It is also used to describe a series of events that took place in the past.

La voiture monta la côte, fila le long de la grande rue et s'arrêta devant la maison du premier ministre.   *The car went up the hill, drove along the main street and stopped in front of the prime minister's house.*

See the table of irregular verbs for irregular forms of the past definite tense.

Exercices

1. Changez ces phrases de la langue parlée (**passé composé**) à la langue écrite (**passé simple**) comme dans l'exemple.

Exemple
Alors, il *est devenu* chef de la France. → Alors, il devint chef de la France.

   1. La voiture *s'est arrêtée* au coin de la rue où il y avait un accident.

_____

_____

2. Un jeune homme *est sorti* de cette voiture et *a offert* son aide.

_____

_____

3. La blessée *a souri* et *a refusé* de croire que tous ces soins étaient nécessaires.

_____

_____

4. Elle ne se sentait pas mal et *s'est demandée* pourquoi un tel geste de la part de ce jeune homme.

_____

_____

5. Il faisait très froid et tous les spectateurs *ont compris*.

_____

6. Un homme *a appelé* un taxi.

_____

7. Le taxi *est arrivé*, la jeune fille *est montée* dans l'auto et le conducteur l'*a transportée* chez ses parents.

_____

_____

8. Le père, surpris, *a regardé* sa fille, *a examiné* ses blessures et l'*a emmenée* chez le médecin.

_____

_____

9. Le médecin *a vu* qu'elle souffrait et lui *a donné* des médicaments.

_____

_____

10. Un peu rétablie, elle *est retournée* chez elle d'où, le lendemain, elle *a téléphoné* au jeune homme et lui *a fait* ses excuses. Le jeune homme *a profité* de cet appel pour . . .

_____

_____

_____

_____

Reflexive Verbs

1. A *reflexive verb* is one whose action is performed by the subject on itself. It has for an object, which may be either direct or indirect, a pronoun representing the subject.

    Je **me** frappe.   *I strike myself.*

    Ils **se** sont lavés.   *They washed themselves.*

2. Reflexive verbs may also express reciprocal action. This is the idea of "each other" or "one another" rather than "themselves". A qualifying expression is usually used in this case to avoid ambiguity.

    Ils **se** parlent.   *They speak to each other.*

    Ils **se** trompent les uns les autres.   *They deceive one another.*

3. The reflexive form is often used instead of the passive when no agent is present.

    Ces fleurs **se** vendent partout.   *These flowers are sold everywhere.*

4. The compound tenses of a reflexive verb are always conjugated with **être,** and the past participle agrees with the preceding direct object.

    Ils se (ind. obj.) sont lavé les **mains.**   *They washed their hands.*

    Ils **se** (dir. obj.) sont lavés.   *They washed themselves.*

5. In the affirmative imperative the reflexive pronoun must follow the verb, and it has the same forms as the conjunctive pronoun.

    Lave-**toi.**   *Wash yourself.*

    Allons-**nous**-en.   *Let us go away.*

    Regardez-**vous.**   *Look at yourself.*

6. The conjugation of a reflexive verb:

Present	*Present participle*	*Past definite*
je **me** lave	**me** lavant	je **me** lavai, etc.
tu **te** laves	**te** lavant, etc.	
il **se** lave		*Future*
elle **se** lave	*Past indefinite (Passé composé)*	je **me** laverai, etc.
nous **nous** lavons	je **me** suis lavé (e)	
vous **vous** lavez		*Imperative*
ils **se** lavent	*Present negative*	lave-**toi**
elles **se** lavent	je ne **me** lave pas	
		Present subjunctive
	Conditional	que je **me** lave, etc.
	je **me** laverais, etc.	
		Imperfect
		je **me** lavais, etc.

Exercices

1. Répondez comme dans l'exemple.

Exemple
Tu te lèves de bonne heure? →
Oui, je me lève toujours de bonne heure.
Non, je ne me lève jamais de bonne heure.

  1. Tu te laves les mains?

_____

_____

  2. Vous vous couchez tard?

_____

_____

  3. Il s'endort?

_____

_____

  4. Vous vous en allez?

_____

_____

  5. Tu te baignes?

_____

_____

  6. Elle se couche tard?

_____

_____

2. Faites comme dans l'exemple.

Exemple
Elle se couche de bonne heure? →
Oui, elle s'est toujours couchée de bonne heure.
Non, elle ne s'est jamais couchée de bonne heure.

  1. Vous vous levez tôt?

_____

_____

  2. Ils se battent?

_____

_____

3. Elles se lavent?

_____

_____

4. Elles se voient?

_____

_____

5. Il s'excuse?

_____

_____

3. Faites comme dans l'exemple.

Exemple
Je vais manquer l'autobus. *se dépêcher*
Alors, dépêche-toi.

1. Je vais être fatigué. *se reposer*

_____

2. Je vais trop parler. *se taire*

_____

3. Je vais aller sur la plage. *se promener*

_____

4. Nous sortons. *s'habiller*

_____

5. Nous y sommes. *s'arrêter*

_____

Future Tense

1. The *future* is used to express *future time:*
  J'irai vous voir demain.   *I shall go to see you tomorrow.*
  Nous irons en France l'année prochaine. *We shall go to France next year.*

2. The future is used after the conjunctions **quand, lorsque, dès que, aussitôt que, après que, tant que,** when futurity is implied:
  Venez me voir quand vous **aurez** le temps.   *Come to see me when you have time.*
  Entrez aussitôt que vous **serez** prêt.   *Enter as soon as you are ready.*
  Dès que je **serai** en France, j'irai vous voir.   *As soon as I am in France, I shall go to see you.*

3. After **si** the future is used only when **si** means "whether", or "if" in the sense of "whether," and futurity is implied:
  Je me demande s'il **fera** beau.   *I wonder if it will be fine.*

4. Special uses of the future:

Imperative:
  Vous **partirez** immédiatement.   *You will leave immediately.*

Probability and Possibility:
  Il n'est pas ici. Il **sera** malade.   *He is not here. He must be ill.*

5. In ordinary French conversation, when the *immediate future* is meant, the speaker generally says not **je vous donnerai,** but **je vais vous donner.**
  Attendez, je **vais** lui **parler.**   *Wait, I'll speak to him.*
  Je **vais** vous le **chercher.**   *I'll fetch it for you.*

See the table of irregular verbs for irregular forms of the future tense.

Exercices

1. Faites les transformations nécessaires dans les répliques.

Exemple
Nous chantons une chanson anglaise. *française* →
Bon, demain vous chanterez une chanson française.

  1. Je parle anglais. *français*

  Bon, demain tu _____

  2. Elle ouvre la lettre. *le colis*

  Bon, demain tu _____

3. Ils commencent à lire. *à écrire*

Bon, demain ils _____

4. Tu finis les poèmes. *le roman*

Oui, et demain je _____

5. Vous étudiez l'anglais. *français*

Oui, et demain nous _____

6. Tu laves les assiettes. *couteaux*

Oui, et demain je _____

7. Vous entendez de la musique classique. *du jazz*

Oui, et demain nous _____

8. Il se sent mieux. *beaucoup mieux*

Oui, et demain il _____

9. Elles souffrent du mal de tête. *gorge*

Oui, et demain elles _____

10. Ils dorment tard. *plus tard*

Oui, et demain ils _____

11. Il vous croit. *davantage*

Oui, et demain il nous _____

12. Il comprend mieux le français. *italien*

Très bien, et demain il _____

13. Ils prennent le train. *le bateau*

Bon, demain ils _____

14. Je conduis la voiture. *l'autobus*

Bon, demain tu _____

15. Tu vis bien. *mieux*

Oui, et demain je _____

16. J'appelle un taxi. *un ami*

Bon, demain tu _____

17. Il achète des romans. *dictionnaires*

Très bien, demain il _____

18. Elle se lève de bonne heure. *tard*

Bon, demain elle _____

19. Ils appellent leur fils. *Justin*

Bon, demain ils _____

20. Nous partons tard. *tôt*

Bon, mais demain vous _____

2. Continuez comme dans l'exemple.

Exemple
J'ai l'intention d'aller en ville. →
Tu iras en ville? Mais c'est une bonne idée!

1. J'ai l'intention de venir le voir.

Tu _____

2. J'ai l'intention d'aller chez Jean.

Tu _____

3. J'ai l'intention d'être à Montréal la semaine prochaine.

Tu _____

4. Ils ont l'intention d'y aller.

Ils _____

5. Elles ont l'intention d'envoyer de l'argent à leurs fils.

Elles _____

6. Nous avons l'intention de venir pour sa fête.

Vous _____

7. Elle a l'intention de le faire.

Elle _____

8. Il a l'intention de se lever de bonne heure.

Il _____

9. Ils ont l'intention d'acheter des haricots.

Ils _____

10. Nous avons l'intention de vivre à la campagne.

Vous _____

3. *Répliquez comme dans les exemples.*

Exemples
Tu parles français?   Et les garçons? →
Eux aussi, ils vont parler français.

Vous mangez des gâteaux.   Et les jeunes filles? →
Elles aussi, elles vont manger des gâteaux.

1. Tu achètes beaucoup de robes.   Et les jeunes filles?

Elles _____

2. Nous parlons français. Et vous?

Nous _____

3. Tu t'amuses bien. Et elle?

Elle _____

4. Je viens lundi prochain. Et toi?

Moi _____

5. Les enfants dorment tard. Et vous?

Nous _____

6. Je vais en ville ce soir. Et les garçons?

Eux _____

7. Ils étudient le français. Et toi?

Moi _____

8. Je conduis la voiture. Et toi?

Moi _____

9. Tu parles au professeur. Et François et moi?

Vous _____

10. Il parle à François. Et Marie et Hélène?

Elles _____

11. Nous appelons un ami. Et Henri?

Lui _____

12. Nous achetons une voiture. Et Marie?

Elle _____

13. Il préfère un roman. Et vous?

Nous _____

14. Il règle ses comptes. Et Hélène?

Elle _____

15. Elle se lève. Et Marie?

Elle _____

4. Répliquez en faisant les changements nécessaires suivant l'exemple.

Exemple
Nous mangerons quand — aller au restaurant. →
D'accord, vous mangerez quand vous irez au restaurant.

   1. Je dormirai quand — avoir sommeil.

     Bon, tu _____

2. Il partira quand — vouloir.

D'accord, il _____

3. Elle se lèvera dès qu' — être reposée.

Bon, elle _____

4. Nous irons lorsque — arriver au collège.

D'accord, vous _____

5. Ils sortiront aussitôt qu' — pouvoir.

Bon, ils _____

6. Tu marcheras lorsque — aller en ville.

D'accord, je _____

7. Tu répondras à sa lettre dès que — avoir le temps.

Oui, bien sûr, je _____

8. Il chantera tant qu' — être capable.

Bon, il _____

9. Il rira quand — entendre cette histoire.

Evidemment, _____

10. Il viendra dès qu' — finir ses devoirs.

Evidemment, il _____

11. Nous réussirons tant que — travailler.

Bien sûr, vous _____

12. J'irai quand — faire beau.

Parfait, tu _____

13. J'irai en France aussitôt que — savoir le français.

Ah bon, tu _____

14. Il sera trop tard lorsqu'il le — trouver.

Bien sûr, il _____

15. Je te chercherai dès que — arriver à Toronto.

Parfait, tu _____

154

Conditional Tense

1. The *conditional tense* is used to express the idea of future in the past.
   Il a dit qu'il **viendrait**.   *He said that he would come.*

2. The conditional tense is used to express a mild assertion or soften the present.
   Il **voudrait** y aller.   *He would like to go there.*
   Je **voudrais** un verre d'eau.   *I should like a glass of water.*

3. The conditional sentence is used to express what would happen if something else were to happen. In this type of sentence, the conditional tense may be used in the main clause, but *not* in the "if", or conditional clause:

   The "if" clause is in the *present* tense when the main, or result clause, is in the future, present or imperative:
   Si vous êtes là, je viendrai.   *If you are there, I shall come.*
   Si vous avez le temps, venez.   *If you have the time, come.*
   Si j'ai de l'argent, je fais des achats.   *If I have any money, I go shopping.*

   The "if" clause is in the *imperfect* tense when the result clause is in the conditional:
   S'il était chez lui, j'irais le voir.   *If he were at home, I would go to see him.*

4. A sentence is not conditional if the real meaning of **si** is "whether" and not "if". In this case only, **si** may be followed by the future or conditional tense:
   Dites-lui si vous irez chez nous.   *Tell him whether you will go to our house.*
   Il ne sait pas s'il y retournerait.   *He does not know whether he would go back there.*

Exercices

1. Répondez à la question **Qu'est-ce que Jean a dit**? et faites les transformations nécessaires suivant les exemples.

   Exemples
   Marie ira demain. →
   Il a dit que Marie irait demain.

   J'irai la semaine prochaine. →
   Il a dit que tu irais la semaine prochaine.

   Qu'est-ce que Jean a dit?
   1. Suzanne finira ce roman demain.

   _____

   2. Il viendra dimanche prochain.

   _____

3. Je pourrai y aller. (use *tu*)

_____

4. Elle achètera une nouvelle robe.

_____

5. Nous ferons un voyage en France. (use *vous*)

_____

6. Vous prendrez un bateau français. (use *nous*)

_____

7. Georges boira un verre de lait.

_____

8. Nous parlerons français avant deux mois. (use *vous*)

_____

9. Tu téléphoneras à ton ami. (use *je*)

_____

10. Je prendrai l'avion ce soir. (use *tu*)

_____

11. Il cèdera sa place.

_____

12. Il choisira un poème de Victor Hugo.

_____

2. Transformez les phrases comme dans les exemples.

Exemples
Il n'a pas d'argent.   Il ne voyage pas. →
S'il avait de l'argent, il voyagerait.

Je n'ai pas de livre.   Je ne lis pas. →
Si tu avais un livre, tu lirais.

1. Eugène ne travaille pas. Il n'est pas heureux.

Si Eugène _____

2. Jacques ne parle pas français. Il ne comprend pas ses amis.

Si Jacques _____

3. Il ne fait pas beau. Il n'y va pas.

S'il _____

4. Il ne peut pas. Il ne court pas.

S'il _____

5. Elle n'a pas le temps. Elle ne vient pas.

Si elle _____

6. Nous ne sommes pas chez nous. Nous ne sommes pas contents.

Si vous _____

7. Je n'ai pas de pain. Je ne mange pas.

Si tu _____

8. Ils n'ont pas le temps. Ils ne travaillent pas dans le jardin.

S'ils _____

9. Je ne peux pas. Je ne sors pas.

Si tu _____

10. Il n'est pas riche. Il ne peut pas voyager à l'étranger.

S'il _____

11. Je ne suis pas malade. Je ne me couche pas.

Si tu _____

12. Ce n'est pas nécessaire. Ils ne boivent pas.

Si _____

13. Il ne nous invite pas. Nous n'y allons pas.

S'il vous _____

14. Je n'ai pas de fraises. Je ne lui en donne pas.

Si tu _____

15. Je ne mange pas trop. Je ne serai pas malade.

Si tu _____

3. Répondez à la question **Qu'est-ce qu'il dit**? comme dans l'exemple.

Exemple
Venez si vous (pouvoir).
Il dit: "Venez si vous pouvez."

Qu'est-ce qu'il dit?

1. Venez si vous (avoir le temps).

Il dit: _____

2. Viens si tu (pouvoir).

Il dit: _____

3. J'achète des choses si j'(avoir) de l'argent.

Il dit: _____

4. Il viendra si elle (être) chez elle.

Il dit: _____

5. Entrez si vous (vouloir).

Il dit: _____

6. Sortez si vous (pouvoir).

Il dit: _____

7. Parle-lui si tu le (voir).

Il dit: _____

8. Je suis content si j'(avoir) des amis.

Il dit: _____

9. Je serai à l'aise si je (parler) français.

Il dit: _____

10. Je l'achèterai si vous le (vendre).

Il dit: _____

4. Refaites les phrases suivantes en employant un conditionnel de politesse.

Exemple
Je vous aiderai demain.   *ce soir* →
Pourrais-tu m'aider ce soir?

1. Je viens ce soir.   *demain*

_____

2. Je parle lentement.   *plus vite*

_____

3. Je veux danser.   *attendre*

_____

4. Je vais t'expliquer ces phrases.   *ce paragraphe*

_____

5. Je fais un effort.   *plus grand effort*

_____

6. J'entre plus tard.   *tout de suite*

_____

7. Je fais beaucoup de bruit.   *moins de bruit*

_____

8. Je te donne une tasse de café. *thé*

_____

9. Je tourne à gauche. *à droite*

_____

10. Je vais attendre jusqu'à ce soir. *demain*

_____

Future Perfect Tense; Past Conditional Tense; Pluperfect Tense

Future Perfect

The *Future Perfect* is a compound tense which is formed by combining the *future* of **avoir** or **être** plus the *past participle* of the main verb. The *future perfect* is conjugated with the same auxiliary as the **passé composé**.

J'aurai fini	*I will have finished*
Je serai parti (e)	*I will have left*
Je me serai couché (e)	*I will have gone to sleep*

The future perfect is used to indicate an action which will have taken place when another future action occurs.

Ils auront fini leurs études quand Jean arrivera.	*They will have finished their studies when John arrives.*

Note that in English the present perfect is used, where exactness compels the French to use the future perfect.

Quand il **aura fini** son travail, il sortira.	*When he has finished his work, he will go out. When he will have finished . . .*

Pluperfect

The *Pluperfect* is a compound tense which is formed by combining the *imperfect* of **avoir** or **être** plus the *past participle* of the main verb. The *pluperfect* is conjugated with the same auxiliary verb as the **passé composé**.

J'avais chanté	*I had sung*
J'étais parti (e)	*I had left*
Je m'étais couché (e)	*I had gone to bed*

The pluperfect is used to indicate a past action which took place before another past action.

Nous étions sortis quand elle est entrée.	*We had left when she came in.*

The pluperfect should *not* ordinarily be used in a clause introduced by **quand, lorsque, aussitôt que, dès que** or **après que**.

In literary style, these are used to introduce the past anterior to indicate an action that took place *immediately* before another action when this second action is expressed by the *simple past*.

Dès qu'elle eut ouvert la porte, le chat entra.	*As soon as she had opened the door, the cat entered.*

In non-literary style, a special tense known as the **surcomposé** (**passé composé** of **avoir** or **être** plus the *past participle* of the main verb) is used with **quand, lorsque, aussitôt que, dès que** and **après que** to indicate an action that took place *immediately* before another action when this second action is expressed by the **passé composé**.

    Dès qu'elle a eu fini ses devoirs, son ami est entré.   *As soon as she had finished her homework, her friend entered.*

In "if" clauses, the "if" clause is in the pluperfect tense when the result clause is in the past conditional.

    Si elle avait eu le temps, elle serait venue.   *If she had had the time, she would have come.*

Past Conditional

The *Past Conditional* is a compound tense which is formed by combining the *conditional* of **avoir** or **être** plus the *past participle* of the main verb. The past conditional is conjugated with the same auxiliary verb as the **passé composé**.

J'aurais chanté	*I would have sung*
Je serais allé (e)	*I would have gone*
Je me serais levé (e)	*I would have gotten up.*

The past conditional is most frequently used in contrary-to-fact conditions.

    Si j'avais été à Québec, j'aurais parlé français.   *If I had been in Quebec, I would have spoken French.*

The past conditional expresses perfected future in the past or what would have happened:

    Il disait qu'il **serait parti.**   *He said he would have gone.*

Exercices

1. Répondez aux questions comme dans l'exemple.

Exemple
Tu n'as pas décidé? *lundi*
Non, mais j'aurai décidé avant lundi.

    1. Tu n'as pas fini ton devoir? *l'arrivée du professeur*

    _____

    2. Il n'est pas sorti? *ce soir*

    _____

    3. Vous n'y êtes pas allés? *Noël*

    _____

    4. Vous ne l'avez pas reçu? *notre départ*

    Non, mais nous _____

    5. Elle ne l'a pas vu? *la soirée*

    _____

2. Faites comme dans l'exemple.

Exemple
Qu'est-ce que tu feras après avoir étudié?   *écouter des disques*
Quand j'aurai étudié, j'écouterai des disques.

   1. Où iras-tu après avoir mangé?   *aller au bal*

   Aussitôt _____

   2. A qui parleras-tu après être sorti?   *à la jeune fille*

   Quand _____

   3. Qu'est-ce que vous ferez après avoir appelé vos amis?   *aller au bal*

   Dès que nous _____

   4. Que fera-t-elle après avoir dansé?   *se reposer*

   Quand _____

   5. Que feras-tu après l'avoir vue?   *inviter au bal*

   Aussitôt _____

   6. Où irez-vous après être sortis?   *au cinéma*

   Dès que _____

   7. Que diras-tu après avoir écouté?   *au revoir*

   Aussitôt _____

   8. Qu'est-ce qu'ils feront après avoir chanté?   *s'en aller*

   Dès que _____

   9. Que ferez-vous après être entrées?   *s'amuser*

   Quand _____

   10. Où iront-elles après avoir fini leur devoir?   *chez Jeanne*

   Aussitôt _____

3. Faites comme dans l'exemple.

Exemple
Tu chantais quand il est entré? →
Mais non, j'avais chanté quand il est entré.

   1. Est-ce que tu parlais quand elle est arrivée?

   _____

   2. Vous partiez quand il est entré?

   Mais non, nous _____

   3. Tu sortais quand elle est venue?

   _____

4. Il déjeunait quand elle est arrivée?

_____

5. Elle entrait quand il est arrivé?

_____

4. Combinez les phrases comme dans l'exemple.

Exemple
Nous sommes arrivés au cinéma. J'ai vu un film. Gaston est arrivé. Nous étions arrivés au cinéma et j'avais vu un film quand Gaston est arrivé.

1. Je suis allé en France. J'ai rencontré beaucoup d'amis. Il est arrivé.

_____

2. Nous sommes arrivés au restaurant. Nous avons commencé à manger. Il est entré.

_____

3. Ils sont venus au Canada. Ils ont fait beaucoup d'amis. Leur mère est arrivée.

_____

4. Elle est partie pour la France. Elle a rencontré plusieurs jeunes gens.

Son fiancé est arrivé. _____

5. Je suis arrivé au cinéma. J'ai vu une partie du film. Une bombe a éclaté.

_____

5. Répondez à la question **Qu'est-ce qu'il a dit?** et faites les changements nécessaires.

Exemples
Il a dit que s'il faisait beau, il viendrait. →
Oui, s'il avait fait beau, il serait venu.

Il a dit que si je mangeais, je n'aurais pas faim. →
Oui, si tu avais mangé, tu n'aurais pas eu faim.

Qu'est-ce qu'il a dit?
1. Il a dit que s'il pouvait, il entrerait.

Oui, s'il _____

2. Il a dit que si elle voulait, elle viendrait.

Oui, si elle _____

3. Il a dit que si je parlais français, je serais à l'aise.

Oui, si tu _____

4. Il a dit que si j'avais des amis, je serais heureux.

Oui, si tu _____

5. Il a dit que si j'étais riche, je voyagerais.

Oui, si tu _____

6. Il a dit que si nous chantions, ils nous écouteraient.

Oui, si vous _____

7. Il a dit que si vous aviez de l'argent, vous l'achèteriez.

Oui, si nous _____

8. Il a dit que si elle avait le temps, elle viendrait.

Oui, si elle _____

9. Il a dit que s'il faisait beau, nous sortirions.

Oui, s'il _____

10. Il a dit que si tu chantais, je t'écouterais.

Oui, si j' _____

Subjunctive Mood

1. In an independent sentence or principal clause the subjunctive expresses a wish or command.

Vive la France!	*Long live France!*
(Que) Dieu vous **bénisse!**	*God bless you!*
Qu'il **s'en aille!**	*Let him go away!*

2. In a subordinate clause the subjunctive presents a fact as being doubtful, uncertain or restricted, while the indicative implies that the fact mentioned is certain, or so probable as to be practically certain.

Il est vrai que nous **avons vu** un lion.	*It is true that we saw a lion. (certainty)*
Est-il vrai que vous **ayez vu** un lion?	*Is it true that you saw a lion? (doubt)*

3. The subjunctive, introduced by **que,** is used after the following classes of verbs:

wishing, desiring:
Je désire qu'il vienne.	*I want him to come.*

commanding, forbidding:
Sa mère défend qu'elle danse.	*Her mother forbids her to dance.*
Il a commandé qu'elle vienne.	*He ordered her to come.*

doubting, denying:
Je doute qu'elle vienne.	*I doubt that she will come.*
L'avocat a nié que le témoin ait dit la vérité.	*The lawyer denied that the witness told the truth.*

emotion—joy, grief, fear, surprise, etc.:
Je suis content que vous sortiez.	*I am happy that you are going out.*

4. The subjunctive is used after certain impersonal expressions which suggest an idea linked with doubt, judgment, or feeling:

il faut que	*it is necessary that*
il est nécessaire que	*it is necessary that*
il importe que	*it is important that*
il est temps que	*it is time that*
il se peut que	*it may be that*
il semble que	*it seems that*
il est possible que	*it is possible that*
il est important que	*it is important that*
il convient que	*it is fitting that*
il est bon que	*it is well that*
il est douteux que	*it is doubtful that*
il est rare que	*it is rare that*
il vaut mieux	*it is better that*

Il faut que vous partiez.	*It is necessary for you to leave (that you leave).*
Il est nécessaire que je vous parle.	*It is necessary that I speak to you.*
Il est temps que vous retourniez.	*It is time for you to return.*

5. Some impersonal verbs are followed by the subjunctive when they are used interrogatively or negatively because they indicate doubt or uncertainty:

il est évident que	*it is evident that*
il paraît que	*it appears that*
il est probable que	*it is likely that*
il est clair que	*it is clear that*
il est sûr que	*it is sure that*
il est vrai que	*it is true that*

Il n'est pas évident qu'ils sachent la vérité.	*It is not evident that they know the truth.*
Est-il sûr que nos cousins viennent?	*Is it sure that our cousins will come?*

6. Croire, penser, ignorer and **espérer** require the subjunctive when they are used interrogatively or negatively.

Je ne crois pas qu'il puisse venir.	*I do not believe that he can come.*
Espérez-vous qu'il pleuve?	*Do you hope that it will rain?*

7. The following conjunctions require the subjunctive in a subordinate clause headed by them:

afin que	*in order that*
pour que	*in order that*
quoique	*although*
bien que	*although*
avant que	*before*
sans que	*without*
jusqu'à ce que	*until*
en attendant que	*until*
pourvu que	*provided that*
à moins que . . . ne	*unless*
de peur que . . . ne	*for fear that, lest*
de crainte que . . . ne	*for fear that, lest*

Lisez lentement afin qu'on vous comprenne.	*Read slowly in order that we may understand you.*
Elle viendra à moins qu'elle ne manque l'autobus.	*She will come unless she misses the bus.*

8. In the following cases the subjunctive is used in a subordinate relative clause which is introduced by a relative pronoun:

after a superlative or superlative expressions such as **le seul, le premier, le dernier:**

Henri est le seul qui ait fait le devoir.	*Henry is the only one who did the homework.*
C'est le premier qui me fasse tort.	*He is the first one to do me harm.*

after a negative or interrogative verb:

Il ne connaît personne qui puisse l'aider.	*He knows no one who can help him.*
Y a-t-il une jeune fille qui puisse faire cela?	*Is there a young girl who can do that?*

when there is doubt concerning the existence of the person or the thing which the relative clause modifies:

Je veux quelque chose qui convienne à ma femme.	*I want something that will suit my wife.*
Je vois un livre qui conviendra à ma femme.	*I see a book that will suit my wife.*

9. The subjunctive is often used in a noun clause which precedes the principal clause.

Qu'il ait réussi, je le sais.	*I know that he succeeded.*

166

10. It is possible in many instances to avoid the use of the subjunctive, especially when it entails using the imperfect and pluperfect subjunctives, and awkward subordinate clauses. The most common ways of avoiding the subjunctive are as follows:

using a compound instead of a complex sentence:

Je suis heureux qu'il soit arrivé.	*I am glad that he arrived.*
Il est arrivé; j'en suis heureux.	*He arrived; I am glad of it.*

replacing, when possible, a clause with a noun:

J'attends jusqu'à ce qu'il arrive.	*I am waiting until he arrives.*
J'attends son arrivée.	*I await his arrival.*

replacing the clause with one or more infinitives, provided the meaning remains the same:

Je suis heureux qu'il vienne.	*I am glad that he is coming.*
Je suis heureux de le voir venir.	*I am glad to see him coming.*

when the subject of both verbs is the same, the conjunction and the subjunctive may be replaced by a preposition and an infinitive:

Il est parti de peur d'être malheureux.	*He went away for fear of being unhappy.*

Exercices

1. Faites les transformations nécessaires comme dans les exemples.

Exemples
Elle sort. *Je suis content qu'elle* →
Je suis content qu'elle sorte.

Nous partons. *Je suis heureux que vous* →
Je suis heureux que vous partiez.

1. Est-il heureux? *Je doute qu'il*

_____

2. Nous sommes contents. *Je suis heureux que vous*

_____

3. Il guérit. *Il est temps qu'il*

_____

4. La guerre finit. *Je suis heureux que*

_____

5. Elles entendent de bonnes nouvelles. *Il est bon qu'elles*

_____

6. Ils viennent avec elles. *Je suis content qu'ils*

_____

7. Ils ont de la chance. *Il est temps qu'ils*

_____

8. Elles sont contentes. *Je suis heureux qu'elles*

_____

9. Dieu nous bénit. *Que Dieu vous . . . vous aussi!*

_____

10. Il vient? *Il est douteux qu'il*

_____

2. Répondez à la question **Qu'est-ce qu'il dit?**

Exemple
(venir). Je crains qu' _____ . →
Je crains qu'il vienne.

Qu'est-ce qu'il dit?

1. *(parler) anglais.* Il faut qu'il _____ .

2. *(sortir).* Il est impossible qu'elle _____ .

3. *(mourir) bientôt.* Il se peut qu'il _____ .

4. *(revenir) du Québec.* Il est douteux qu'elle _____ .

5. *(pouvoir) venir demain.* Il est bon qu'elle _____ .

6. *(faire) de leur mieux.* Il est nécessaire qu'ils _____ .

7. *(être) nécessaire.* Il semble qu'il _____ .

8. *(aller) sans lui.* Il est rare qu'il y _____ .

9. *(faire) beau demain.* Il est évident qu'il _____ .

10. *(partir) sans moi?* Est-il sûr qu'ils _____ .

11. *(étudier) plus fort.* Je suis content qu'ils _____ .

12. *(sortir) immédiatement.* Il a ordonné que tu _____ .

3. Combinez les deux phrases comme dans l'exemple.

Exemple
Je suis content. *Il se porte mieux.* →
Je suis content qu'il se porte mieux.

1. Je suis heureux. *Il vient*

_____

2. Son père est content. *Il lui rend visite.*

_____

3. Je regrette beaucoup. *Vous êtes en retard.*

_____

4. Je suis heureux. *Vous avez réussi.*

_____

5. J'ai peur. *Vous êtes malade.*

_____

6. Je crains. *Il a mal à la tête.*

_____

7. Je regrette. *Il pleut.*

_____

8. Elle doute. *Il m'achète un cadeau de Nöel.*

_____

9. Son professeur est content. *Il fait bien son devoir.*

_____

10. Je suis étonnée. *Il connaît ce garçon.*

_____

11. Il est nécessaire. *Elle y va.*

_____

12. Il vaut mieux. *Vous vous reposez.*

_____

4. Continuez comme dans les exemples. (Dans cet exercice, ne changez pas les pronoms sujets.)

Exemples
Je suis sûr. *Il y va.* → Je suis sûr qu'il ira.
Je suis content. *Il vient.* → Je suis content qu'il vienne.

1. Il est évident. *Je suis malade.* _____

2. Elle sait. *Je viens demain.* _____

3. Est-il sûr? *Nos cousins viendront.* _____

4. Je crois. *Il vient.* _____

5. Je ne crois pas. *Il peut venir.* _____

6. J'espère. *Il vient.* _____

7. Espérez-vous? *Il pleut.* _____

8. Il est possible. *Il réussit.* _____

9. Je doute. *Il court.* _____

10. Pensez-vous? *Il est malade.* _____

Impersonal Verbs

1. An impersonal verb is one which is always conjugated in the third person singular, and is used to express an action which is not thought of as being done by any definite agent.

2. Verbs expressing weather conditions are impersonal.

il pleut	*it rains*	il gèle	*it is freezing*
il tonne	*it thunders*	il dégèle	*it thaws*
il neige	*it snows*	il éclaire	*there is lightning*
il grêle	*it is hailing*		

3. **Faire** is often used impersonally to describe weather conditions and temperature.

il fait chaud	*it is warm*	il fait du soleil	*it is sunny*
il fait froid	*it is cold*	il fait jour	*it is daylight*
il fait beau	*it is fine*	il fait nuit	*it is dark*
il fait du vent	*it is windy*		

4. Verbs expressing time are impersonal.

Il est deux heures.	*It is two o'clock.*
Il est tard.	*It is late.*
Il est tôt.	*It is early.*

5. **Avoir** is used impersonally in the expression **il y a,** but **il y a** before an expression of time means *ago.*

Il y a un chien à la porte.	*There is a dog at the door.*
Il y avait des hommes à la maison.	*There were some men at the house.*
Il y aura beaucoup de monde à la soirée.	*There will be many people at the party.*
Elle est née il y a trois mois.	*She was born three months ago.*

6. Many other verbs may be used impersonally. The most common are **importer, valoir, sembler, arriver, falloir, s'en falloir, s'agir, venir.**

Souvent il **arrive** des malheurs.	*Misfortunes often come.*
Il **faut** qu'il soit chez lui.	*He must be at home.*
Il **s'agit** d'argent.	*It is a question of money.*

Exercices

1. Mettez la forme correcte du verbe impersonnel.

   1. *There is a book on the desk.*

   _____ un livre sur la table.

2. *It is warm this morning.*

_____ chaud ce matin.

3. *It was cold yesterday.*

_____ froid hier.

4. *Today it is sunny.*

Aujourd'hui _____ du soleil.

5. *It was daylight when he came.*

_____ jour quand il arriva.

6. *It is better to come early.*

_____ venir tôt.

7. *There will be many people on the boat.*

_____ beaucoup de monde sur le bateau.

8. *Are there many books on the desk?*

_____ beaucoup de livres sur le pupitre?

9. *Get up! It is daylight.*

Levez-vous! _____ jour.

10. *It is freezing and snowing.*

_____ et il neige.

11. *He came two months ago.*

Il est venu _____ deux mois.

12. *It seems that he was ill.*

_____ qu'il fût malade.

13. *It will be cold tonight.*

_____ froid ce soir.

14. *There is a man at the door.*

_____ un homme à la porte.

2. Complétez:

1. *It is warm in summer.*

_____ en été.

2. *It will be cold this winter.*

_____ cet hiver.

3. *It will snow tomorrow.*

_____ demain.

4. *It was cold last winter.*

_____ l'hiver dernier.

5. *It will freeze tonight.*

_____ ce soir.

6. *It rained this spring.*

_____ ce printemps.

7. *It is hailing at this moment.*

_____ en ce moment.

8. *There was snow this morning.*

_____ de la neige ce matin.

9. *Is there snow on the roof?*

_____ de la neige sur le toit?

10. *It is sunny today.*

_____ aujourd'hui.

The Passive Voice

A sentence in the active voice is one in which the subject is acting; a sentence in the passive voice is one in which the subject is acted upon.

Le roi gouverne le pays.   *The king governs the country.*
Le pays est gouverné par le roi.   *The country is governed by the king.*

The French verb is made passive exactly as in English, that is, by a form of the verb **être** and the *past participle*. The past participle agrees with the subject in gender and number.

Les enfants sont aimés de leur mère.   *The children are loved by their mothers.*
Elle a été aimée.   *She was loved.*

The tenses of the passive correspond to the tenses of the verb **être** used:

Pres. Ind. Passive	Je suis aimé(e)	*I am loved*
Perfect Passive	J'ai été aimé(e)	*I have been loved.*
Future Passive	Je serai aimé(e)	*I shall be loved.*
Imperfect Passive	J'étais aimé(e)	*I was loved.*
Conditional Passive	Elle serait aimé(e)	*She would be loved.*
Past Conditional Passive	Elle aurait été aimée	*She would have been loved.*

Only transitive verbs may be used in the passive. The direct object which they take in the active voice becomes the subject in the passive.

Jean a écrit la lettre.   *John wrote the letter.*
La lettre a été écrite par Jean.   *The letter was written by John.*

Note:

On l'a envoyé.   On *lui* a appris à danser. (indirect object)
Il a été envoyé.   On le lui a appris.

De and **par** are used to denote the agent or cause of an action.
Par is used when introducing the agent of a single or definite action.

Henri a été renversé **par** un taxi.   *Henry was struck by a taxi.*
Marie a été accompagnée de ses fils.   *Marie was accompanied by her sons.*

De is used to denote a habitual state or condition, and often the instrument with which an action is performed.

Elle est aimée **de** tous ses amis.   *She is loved by all her friends.*
Elle était accompagnée **de** ses enfants.   *She used to be accompanied by her children.*

The passive voice is not as commonly used in French as it is in English. The following are constructions which are used to replace the passive voice.

The indefinite pronoun **on**

Ici **on** parle français.   *French is spoken here.*
On nous a dit.   *We were told.*
On boit beaucoup de lait au Canada.   *A great deal of milk is drunk in Canada.*

A reflexive verb

Son chien **s'**appelle Médor.   *His dog is called Médor.*
Le thé **se** vend cher.   *Tea is sold at a high price.*

Exercices

1. Répondez à la question comme dans l'exemple.

Exemple
As-tu lavé la tasse? → Oui, la tasse est lavée.

    1. As-tu préparé la leçon? _____

    2. As-tu vendu l'auto? _____

    3. As-tu ouvert la fenêtre? _____

    4. As-tu brûlé cette lettre? _____

    5. As-tu fini la lecture? _____

2. Répliquez comme dans l'exemple.

Exemple
La lettre est écrite. *expédier* →
Et demain, elle sera expédiée.

    1. L'éditorial est rédigé. *publié*

    _____

    2. Le magasin est ouvert. *fermer*

    _____

    3. L'école est fermée. *ouvrir*

    _____

    4. Les étudiants sont épuisés. *reposer*

    _____

    5. Les lunettes sont cassées. *réparer*

    _____

3. Faites comme dans les exemples.

Exemples
On l'a forcé à partir? → Oui, il a été forcé à partir.

On les a empêchés de partir? → Oui, ils ont été empêchés de partir.

On *lui* a appris à chanter? (ind. obj.) → Oui, on le lui a appris.

    1. On l'a empêché de sortir?

    _____

    2. On les a excusés d'assister?

    _____

    3. On les a envoyés le chercher?

    _____

4. On lui a demandé de sortir?

_____

5. On les a invités à danser?

_____

6. On lui a appris à danser?

_____

4. Faites comme dans les exemples.

Exemples
Le bébé est aimé? → Oui, on aime le bébé.

La fenêtre a été fermée? → Oui, on a fermé la fenêtre.

L'équipe sera battue? → Oui, on battra l'équipe.

1. Sa mère est aimée?

_____

2. L'équipe sera battue?

_____

3. Le gâteau a été mangé?

_____

4. Les voleurs ont été attrapés?

_____

5. Les colis ont été expédiés?

_____

5. Dites en français en évitant d'employer la voix passive.

1. _Her cat is called Minou._

_____

2. _Coffee is sold at a high price today._

_____

3. _English is not spoken here._

_____

4. _These books are sold everywhere._

_____

5. _We were told to get out._

_____

Savoir and Connaître

Connaître means to know or to be acquainted with a person, place, or thing.

Connaissez-vous la France?	*Do you know France?*
Connaissez-vous ce monsieur?	*Do you know this gentleman?*
Connaissez-vous les romans de Balzac?	*Do you know (Are you familiar with) Balzac's novels?*

Savoir means to know through study, to be aware of or know how to do something.

Il sait sa leçon.	*He knows his lesson.*
Elle sait où il est.	*She knows where he is.*
Il sait nager.	*He knows how to swim.*

Exercices

1. Posez des questions en commençant par **sais-tu** ou **connais-tu** comme dans l'exemple.

Exemple
Françoise → Connais-tu Françoise?

1. son adresse _____
2. sa femme _____
3. où elle habite _____
4. si elle est chez elle _____
5. sa fiancée _____
6. pourquoi il est absent _____
7. où il est _____
8. parler français _____
9. si elle fait du ski _____
10. Montréal _____

2. Faites comme dans l'exemple.

Exemple
Henri — il a de l'argent →
Je connais Henri et je sais qu'il a de l'argent.

1. Jeanne — elle est belle

_____

176

2. La France — elle est pittoresque

_____

3. Ce jeune homme — il est beau

_____

4. Il est gentil — il danse bien

_____

5. Robert — pourquoi il vient

_____

6. Jacques — il fait du ski

_____

7. Robert est riche — comment il dépense son argent

_____

8. Elle est charmante — où elle habite

_____

9. Il est là — pourquoi il est là

_____

10. Ce visiteur — à quelle heure il arrive

_____

3. Répliquez en employant **savoir** ou **connaître** suivant les exemples.

Exemples
J'ai appris ce poème. →
Alors, tu sais ce poème.

J'ai visité Montréal. →
Alors, tu connais Montréal.

1. J'ai visité Rimouski.

_____

2. J'ai étudié ma leçon.

_____

3. J'ai conduit la voiture.

_____

4. J'admire le Premier Ministre.

_____

5. Nous l'accompagnons partout.

_____

6. Je viens de le voir à Paris.

   _____

7. Il voyage avec René tous les jours.

   _____

8. Elle danse bien.

   _____

9. J'ai rencontré ce monsieur plusieurs fois.

   _____

10. J'ai étudié à Québec.

   _____

Review Exercises on Verbs

Drill

1. Faites comme dans l'exemple en vous servant de la forme du verbe qui convient au sens de la phrase. (Ne changez pas les pronoms sujets dans cet exercice.)

Exemple
aller   Si je pouvais, j' / en Floride. →
Si je pouvais, j'irais en Floride.

    1. *aller*   Demain matin ils / au magasin de bonne heure.

_____

    2. *faire*   Il désire que nous / notre devoir immédiatement.

_____

    3. *écouter*   Jean, / -moi (familiar form).

_____

    4. *travailler*   Ils / pendant que je jouais.

_____

    5. *pouvoir*   Si je / , je le ferais.

_____

    6. *voir*   Si tu es là, nous te / sûrement.

_____

    7. *présenter*   Aussitôt que j'arriverai, je me / au guichet.

_____

    8. *espérer*   J' / qu'il viendra.

_____

    9. *appeler*   Il vous / ce soir. (future)

_____

    10. *arriver*   Dès qu'il / , j'irai le rencontrer.

_____

    11. *voir*   Ils viennent nous / la semaine prochaine.

_____

12. *faire*   Je le / si je peux.

_____

13. *acheter*   Il faut que tu t' / une paire de bas.

_____

14. *venir*   Voulez-vous qu'il / avec nous?

_____

15. *espérer*   J' / que vous seriez ici pour ma fête.

_____

2. Mettez le verbe à la forme qui convient au sens de la phrase selon l'exemple. (Ne changez pas les pronoms sujets dans cet exercice.)

Exemple
faire   Il / beau hier matin. → Il faisait beau hier matin.

1. *faire*   Il faut que nous / bien nos devoirs.

_____

2. *servir*   Elle / le repas pendant que nous causions.

_____

3. *lever*   J'ai dit: / -vous!

_____

4. *mourir*   Elle est / l'année dernière.

_____

5. *naître*   Il / en 1750.

_____

6. *devoir*   Elle a / perdre son temps.

_____

7. *connaître*   Louis / ce garçon mais il ne sait pas son nom.

_____

8. *envoyer*   Je lui / cette lettre demain matin.

_____

9. *lire*   Il / sa composition si tu le lui demandais.

_____

10. *partir*   Jean est content que vous / seul.

_____

11. *valoir*   Si cela en / la peine, j'irai le voir.

_____

12. *offrir*   Ils lui ont / leurs services.

_____

13. *vivre*   Il aimerait / en France.

_____

14. *acheter*   J'ai / des romans français pour mon frère.

_____

15. *pleuvoir*   Il / demain, j'en suis sûr.

_____

3.   Mettez le verbe à la forme qui convient au sens de la phrase comme dans l'exemple. (Ne changez pas les pronoms sujets dans cet exercice.)

Exemple
appeler   Je vous en prie, / -moi n'importe quand. → Je vous en prie, appelez-moi n'importe quand.

1. *être*   Je vous le promets, je / là mardi prochain.

_____

2. *valoir*   Ce livre ne / rien en ce moment.

_____

3. *manger*   Elles ont / leur pain sans se plaindre.

_____

4. *appeler*   Il faut que nous l' / de bonne heure.

_____

5. *devoir*   Il a / bien faire.

_____

6. *savoir*   Dites, / -vous parler français maintenant?

_____

7. *entrer*   Je l'ai vue / .

_____

8. *taire*   / -vous!

_____

9. *vivre*   Il aimerait / en paix.

_____

10. *envoyer*   S'il te plaît, / -moi une pipe.

_____

11. *naître*   Elle est / tout près de Montréal.

_____

12. *ouvrir*   Si tu / la porte, j'entrerais.

_____

13. *fuir*   Il a / devant l'ennemi.

_____

14. *pouvoir*   Il / venir, si nous lui avions demandé.

_____

15. *avoir*   Je me demande si j' / le temps d'y aller.

_____

4. Mettez les phrases suivantes **au futur** et **au conditionnel** comme dans l'exemple.

Exemple
Je parle français. →
J'espère que tu parleras toujours français.
J'espérais que tu parlerais toujours français.

　1. Il donne le livre à l'étudiant.

_____

_____

　2. Elle dort bien.

_____

_____

　3. Elles vont en Europe.

_____

_____

　4. Nous appelons le chien, Médor.   (use *vous*)

_____

_____

　5. Nous mangeons des gâteaux.   (use *vous*)

_____

_____

　6. Il fait beau.

_____

_____

　7. Je sors tous les soirs.   (use *tu*)

_____

_____

8. Il court vite.

_____

_____

9. Nous sommes sages.   (use _vous_)

_____

_____

10. J'ai beaucoup d'amis dans l'ouest du Canada.   (use _tu_).

_____

_____

11. Nous allons en ville.   (use _vous_).

_____

_____

12. Ils s'en vont.

_____

_____

13. J'étudie très fort.   (use _tu_).

_____

_____

14. Il est toujours sage.

_____

_____

15. Elle met sa robe neuve.

_____

_____

16. Il va à Windsor.

_____

_____

17. Il voit son ami.

_____

_____

18. Ils achètent des fleurs.

_____

_____

19. Il jette de l'eau sur le feu.

_____

_____

20. Elle peut y aller.

_____

_____

5. Employez l'interrogation par intonation comme dans l'exemple.

Exemple

Demandez si j'ai (donner) le roman à la jeune fille. →
Tu as donné le roman à la jeune fille?

Demandez . . .

1. s'il a (conduire) la voiture.

Il _____

2. si Marie est (arriver) de bonne heure.

Marie _____

3. s'il a (pleuvoir) fort.

Il _____

4. si nous avons (envoyer) le cadeau à Jeanne.

Vous _____

5. si nous avons (être) gentils envers eux.

Vous _____

6. si j'ai (écrire) à ma sœur.

Tu _____

7. s'il a (connaître) la France.

Il _____

8. si Hélène a (recevoir) des nouvelles de Michel.

Hélène _____

9. si la concierge a (ouvrir) la porte.

Elle _____

10. s'il a (craindre) un accident.

Il _____

11. si elles ont (faire) leurs devoirs.

Elles _____

184

12. si nous avons (souhaiter) la paix.

Vous _____

13. si j'ai bien (comprendre).

Tu _____

14. si le bébé a (refuser) la bouteille.

Le _____

15. si nous avons (prendre) le train pour Québec.

Vous _____

16. s'il a toujours (rire) avec tel enthousiasme.

Il _____

17. si l'enfant s'est (taire) avant de s'endormir.

L'enfant _____

18. s'il a (mener) son cheval à l'écurie.

Il _____

19. si j'ai (acheter) des confitures.

Tu _____

20. si elle est (venir) rendre visite à ses amis.

Elle _____

6. Répliquez comme dans l'exemple.

Exemple
D'habitude, je me lève tôt. → Hier, tu t'es levé tôt?

1. D'habitude, je me couche tard.

Hier, tu _____

2. D'habitude, il se réveille à six heures.

Hier, il _____

3. D'habitude, elle sort avec son ami Jacques.

Hier, elle _____

4. D'habitude, ils se reposent après le dîner.

Hier, ils _____

5. D'habitude, il joue bien.

Hier, il _____

6. D'habitude, les étudiants s'amusent dans la cour.

Hier, ils _____

185

7. D'habitude, nous nous dépêchons de sortir.

Hier, vous _____

8. D'habitude, elle chante bien.

Hier, elle _____

9. D'habitude, je parle français à ces conférenciers.

Hier, tu _____

10. D'habitude, nous avons de la chance.

Hier, vous _____

7. Imitez l'exemple.

Exemple
Comment est-ce qu'on apprend *à patiner?* →
On apprend à patiner en patinant.

Comment est-ce qu'on apprend . . .

1. à chanter?

_____

2. à lire?

_____

3. à travailler?

_____

4. à étudier?

_____

5. à conduire?

_____

6. à danser?

_____

7. à traduire?

_____

8. à écrire?

_____

9. à discuter?

_____

10. à jouer à la balle?

_____

186

8. Donnez la **première personne du singulier** et la **première personne du pluriel** des verbes suivants au passé composé.

Exemple
aller →   Je suis allé   Nous sommes allés

1. voir _____ _____

2. savoir _____ _____

3. servir _____ _____

4. mettre _____ _____

5. recevoir _____ _____

6. venir _____ _____

7. sentir _____ _____

8. suivre _____ _____

9. couvrir _____ _____

10. faire _____ _____

11. prendre _____ _____

12. descendre _____ _____

13. mourir _____ _____

14. s'asseoir _____ _____

15. ouvrir _____ _____

16. naître _____ _____

17. croire _____ _____

18. rester _____ _____

19. avoir _____ _____

20. se lever _____ _____

21. partir _____ _____

22. sortir _____ _____

23. rire _____ _____

24. finir _____ _____

25. devoir _____ _____

9. Mettez à l'**impératif** suivant l'exemple.

Exemple
donner →   donne   donnons   donnez

1. rire _____ _____ _____

2. tenir _____ _____ _____

3. venir _____ _____ _____

4. faire _____ _____ _____

5. croire _____ _____ _____

6. boire _____ _____ _____

7. cueillir _____ _____ _____

8. dire _____ _____ _____

9. s'asseoir _____ _____ _____

10. savoir _____ _____ _____

11. s'en aller _____ _____ _____

12. se lever _____ _____ _____

13. suivre _____ _____ _____

14. courir _____ _____ _____

15. partir _____ _____ _____

16. sortir _____ _____ _____

17. aller _____ _____ _____

18. envoyer _____ _____ _____

19. acheter _____ _____ _____

20. jeter _____ _____ _____

21. mener _____ _____ _____

22. manger _____ _____ _____

23. lancer _____ _____ _____

24. appuyer _____ _____ _____

25. apprendre _____ _____ _____

Test

1. Faites comme dans les exemples en employant l'impératif.   Score: ....

Exemples
Je mange du gâteau. →   Nous sortons de bonne heure. →
Bon, mange du gâteau!   Bon, sortez de bonne heure!

1. Je fais mes devoirs. _____

2. Nous buvons du café. _____

3. Je cueille des roses dans mon jardin. _____

4. Nous y allons ensemble.

_____

5. Je viens de bonne heure pour la soirée.

_____

6. Nous parlons français pendant les repas.

_____

7. J'irai à Montréal cet été.

_____

8. Nous rentrons de bonne heure.

_____

9. Je chanterai une chanson française.

_____

10. Puis-je raconter une histoire?

_____

11. Je peux y aller.

_____

12. Nous irons à la conférence.

_____

13. Je courrai vite. _____

14. J'en vends aux touristes. _____

15. Nous finissons nos courses.

_____

2. Faites comme dans les exemples en employant la forme du verbe qui convient au sens de la phrase. (Ne changez pas les pronoms sujets.)

Exemples
venir Je / s'il me demandait. →   _aller_ Il / demain. →
Je viendrais s'il me demandait.   Il ira demain.

   1. _voir_ Je vous / lundi prochain.

_____

   2. _aller_ Nous / à l'école hier.

_____

   3. _écrire_ Il lui / une lettre quand je suis arrivé.

_____

4. *mourir*   Elle / en janvier 1960.

_____

5. *étudier*   Il faut que nous / ce texte.

_____

6. *voir*   Je désire / votre devoir.

_____

7. *faire*   S'il / beau, nous irons au cinéma.

_____

8. *répondre*   Il / qu'il ne pouvait pas venir.

_____

9. *écrire*   Voici la lettre qu'elle / à sa mère.

_____

10. *entrer*   Il est tombé en / dans le métro.

_____

11. *aller*   / -t'en!

_____

12. *boire*   Nous / du lait tous les jours. (imperfect)

_____

13. *parler*   / -moi de votre visite en France.

_____

14. *savoir*   Il faut que je / où il est.

_____

15. *aller*   / -y. (familiar, singular)

_____

16. *entendre*   S'il écoutait, il / ce que tu dis.

_____

17. *acheter*   Je désire / un chandail.

_____

18. *faire*   Il / beau hier matin.

_____

19. *coucher*   Elle s' / à minuit hier soir.

_____

20. *être*   / sage, ma petite!

_____

21. *lever*   Demain matin, ils se / tôt.

_____

22. *faire*   Que / -vous auparavant?

_____

23. *acheter*   Il faut que je m' / un chandail.

_____

24. *faire*   En / de son mieux, on arrive.

_____

25. *venir*   J'espère qu'ils / pour la soirée.

_____

26. *attendre*   En / je vais lire le journal.

_____

27. *neiger*   S'il /, nous ferons du ski.

_____

28. *faire*   Mais / ce que vous voulez.

_____

29. *chanter*   Cette chanson / par René Simard. (**passé composé**)

_____

30. *offrir*   Ils lui / un poste. (future)

_____

31. *voir*   Voulez-vous me / maintenant?

_____

32. *venir*   Je pense qu'il / avec elle.

_____

33. *se lever*   Demain matin, il / a six heures.

_____

34. *manger*   / un bon repas. (singular)

_____

35. *être*   L'année dernière, elle / heureuse.

_____

Marquez 2 points pour chaque réponse sans fautes.

Table of Irregular Verbs

The Formation of Tenses

1. The present indicative is formed by adding the proper endings to the stem of the infinitives: donn-**er,** fin-**ir,** rend-**re.**

   The endings are:

   for the first conjugation: -e -es -e -ons -ez -ent
   for the second conjugation: -is -is -it -issons -issez -issent
   for the third conjugation: -s -s - -ons -ez -ent

2. The imperfect of the indicative is generally formed from the stem of the first person plural of the present indicative to which are added the proper endings: **-ais -ais -ait -ions -iez -aient.**

   Exemple: nous donn-ons   je donn-ais

3. The imperative is formed from the present indicative by dropping the pronoun subjects. There are three exceptions: **avoir, être** and **savoir** whose imperatives are taken from the subjunctive. In regular **-er** verbs, the final **s** of the second person singular is dropped.

4. The present subjunctive is generally formed from the stem of the third person plural of the present indicative to which are added the endings **-e -es -e -ent** for all persons except the first and second persons plural. These are normally formed by dropping the **-ant** of the present participle and adding **-ions -iez.**

5. The future and conditional are formed by adding the proper endings to the infinitives. In the third conjugation it is necessary to drop the **e** before adding the endings: **rendr-e   rendrai**

   The endings for the future are: **-ai -as -a -ons -ez -ont**
   The endings for the conditional are: **-ais -ais -ait -ions -iez -aient**

6. The past indefinite (**passé composé**) is formed from an auxiliary (**avoir** or **être**) and the past participle: J'ai donné.   Je suis allé.

7. The simple past (past definite) is formed like the present indicative by adding the proper endings to the stem of the infinitive. There are three different forms for the simple past, one for the first conjugation, and two others.

   -ai -as -a -âmes -âtes -èrent
   -is -is -it -îmes -îtes -irent
   -us -us -ut -ûmes -ûtes -urent

8. The past participle for the first conjugation is formed by changing the ending **er** to **é.** For the second conjugation by dropping the **r** of the infinitive. For the third conjugation by changing **re** to **u.** The past participles of the second and third conjugation are frequently irregular.

   Note:
   All verb forms which do not follow the above rules will be in bold face print.
   See also pages 117-121, 122, 126 and 129.

Reference List of Irregular Verbs

(Numbers refer to the page where the verb is conjugated.)

Accueillir, 196
Acquérir, 196
Aller, 194
Apercevoir, 206
Appeler, 194
Apprendre, 202
Asseoir (s'), 206
Avoir, 194

Battre, 202
Bénir, 196
Boire, 202
Bouillir, 198

Combattre, 202
Comprendre, 202
Conduire, 198
Connaître, 202
Construire, 206
Convaincre, 202
Coudre, 202
Courir, 196
Craindre, 204
Croire, 204

Cueillir, 196
Cuire, 200

Devoir, 208
Dire, 200
Donner, 194
Dormir, 196

Ecrire, 200
Entreprendre, 204
Envoyer, 194
Etre, 194

Faire, 200
Falloir, 208
Finir, 196

Introduire, 200

Jeter, 194

Mener, 196
Mettre, 204
Mentir, 198

Mourir, 198

Naître, 204

Obtenir, 198
Offrir, 198
Ouvrir, 198

Paraître, 204
Partir, 198
Permettre, 204
Plaindre, 204
Plaire, 200
Pleuvoir, 208
Poursuivre, 204
Pouvoir, 208
Prendre, 204
Prévoir, 208
Produire, 200
Promettre, 204

Recevoir, 208
Reconnaître, 206
Rendre, 202

Rire, 200

Savoir, 208
Sentir, 198
Se taire, 202
Servir, 198
Sortir, 198
Souffrir, 198
Sourire, 200
Se souvenir, 198
Suffire, 200
Suivre, 206
Surprendre, 206

Tenir, 198
Traduire, 202

Vaincre, 206
Valoir, 208
Venir, 198
Vivre, 206
Voir, 208
Vouloir, 208

Table of Irregular Verbs

Auxiliary

Infinitive Present Participle	Present Indicative	Imperfect	Simple Past
AVOIR	ai	avais	eus
(to have)	as	avais	eus
	a	avait	eut
	avons	avions	eûmes
	avez	aviez	eûtes
ayant	ont	avaient	eurent
ÊTRE	suis	étais	fus
(to be)	es	étais	fus
	est	était	fut
	sommes	étions	fûmes
	êtes	étiez	fûtes
étant	sont	étaient	furent

ER   First conjugation verbs ending in -er

DONNER (model)	donne	donnais	donnai
(to give)	donnes	donnais	donnas
	donne	donnait	donna
	donnons	donnions	donnâmes
	donnez	donniez	donnâtes
donnant	donnent	donnaient	donnèrent
ALLER	vais	allais	allai
(to go)	vas	allais	allas
	va	allait	alla
	allons	allions	allâmes
	allez	alliez	allâtes
allant	vont	allaient	allèrent
APPELER	appelle	appelais	appelai
(to call)	appelles	appelais	appelas
	appelle	appelait	appela
	appelons	appelions	appelâmes
	appelez	appeliez	appelâtes
appelant	appellent	appelaient	appelèrent
ENVOYER	envoie	envoyais	envoyai
(to send)	envoies	envoyais	envoyas
	envoie	envoyait	envoya
	envoyons	envoyions	envoyâmes
	envoyez	envoyiez	envoyâtes
envoyant	envoient	envoyaient	envoyèrent
JETER	jette	jetais	jetai
(to throw)	jettes	jetais	jetas
	jette	jetait	jeta
	jetons	jetions	jetâmes
	jetez	jetiez	jetâtes
jetant	jettent	jetaient	jetèrent

Past Indefinite		Future	Conditional	Imperative	Present Subjunctive
ai	eu	aurai	aurais		aie
as	eu	auras	aurais	aie	aies
a	eu	aura	aurait		ait
avons	eu	aurons	aurions	ayons	ayons
avez	eu	aurez	auriez	ayez	ayez
ont	eu	auront	auraient		aient
ai	été	serai	serais		sois
as	été	seras	serais	sois	sois
a	été	sera	serait		soit
avons	été	serons	serions	soyons	soyons
avez	été	serez	seriez	soyez	soyez
ont	été	seront	seraient		soient
ai	donné	donnerai	donnerais		donne
as	donné	donneras	donnerais	donne	donnes
a	donné	donnera	donnerait		donne
avons	donné	donnerons	donnerions	donnons	donnions
avez	donné	donnerez	donneriez	donnez	donniez
ont	donné	donneront	donneraient		donnent
suis	allé(e)	irai	irais		aille
es	allé(e)	iras	irais	va	ailles
est	allé(e)	ira	irait		aille
sommes	allé(e)s	irons	irions	allons	allions
êtes	allé(e)s	irez	iriez	allez	alliez
sont	allé(e)s	iront	iraient		aillent
ai	appelé	appellerai	appellerais		appelle
as	appelé	appelleras	appellerais	appelle	appelles
a	appelé	appellera	appellerait		appelle
avons	appelé	appellerons	appellerions	appelons	appelions
avez	appelé	appellerez	appelleriez	appelez	appeliez
ont	appelé	appelleront	appelleraient		appellent
ai	envoyé	enverrai	enverrais		envoie
as	envoyé	enverras	enverrais	envoie	envoies
a	envoyé	enverra	enverrait		envoie
avons	envoyé	enverrons	enverrions	envoyons	envoyions
avez	envoyé	enverrez	enverriez	envoyez	envoyiez
ont	envoyé	enverront	enverraient		envoient
ai	jeté	jetterai	jetterais		jette
as	jeté	jetteras	jetterais	jette	jettes
a	jeté	jettera	jetterait		jette
avons	jeté	jetterons	jetterions	jetons	jetions
avez	jeté	jetterez	jetteriez	jetez	jetiez
ont	jeté	jetteront	jetteraient		jettent

Infinitive Present Participle	Present Indicative	Imperfect	Simple Past
MENER* (to lead)	**mène**	menais	menai
	mènes	menais	menas
	mène	menait	mena
	menons	menions	menâmes
	menez	meniez	menâtes
menant	**mènent**	menaient	menèrent

IR   Second conjugation regular verb ending in -ir

FINIR (model) (to finish)	finis	finissais	finis
	finis	finissais	finis
	finit	finissait	finit
	finissons	finissions	finîmes
	finissez	finissiez	finîtes
finissant	finissent	finissaient	finirent

Irregular verbs in -ir

ACCUEILLIR (to welcome)	**accueille**	accueillais	accueillis
	accueilles	accueillais	accueillis
	accueille	accueillait	accueillit
	accueillons	accueillions	accueillîmes
	accueillez	accueilliez	accueillîtes
accueillant	**accueillent**	accueillaient	accueillirent
ACQUERIR (to acquire)	**acquiers**	acquérais	**acquis**
	acquiers	acquérais	**acquis**
	acquiert	acquérait	**acquit**
	acquérons	acquérions	**acquîmes**
	acquérez	acquériez	**acquîtes**
acquérant	**acquièrent**	acquéraient	**acquirent**
BENIR like *finir* (to bless)	bénis	bénissais	bénis
CUEILLIR like *accueillir* (to welcome)	**cueille**	cueillais	cueillis
COURIR (to run)	**cours**	courais	courus
	cours	courais	courus
	court	courait	courut
	courons	courions	courûmes
	courez	couriez	courûtes
courant	**courent**	couraient	coururent
DORMIR (to sleep)	**dors**	dormais	dormis
	dors	dormais	dormis
	dort	dormait	dormit
	dormons	dormions	dormîmes
	dormez	dormiez	dormîtes
dormant	**dorment**	dormaient	dormirent

acheter, geler, modeler are conjugated like *mener*

Past Indefinite		Future	Conditional	Imperative	Present Subjunctive
ai	mené	**mènerai**	**mènerais**		mène
as	mené	**mèneras**	**mènerais**	mène	mènes
a	mené	**mènera**	**mènerait**		mène
avons	mené	**mènerons**	**mènerions**	menons	menions
avez	mené	**mènerez**	**mèneriez**	menez	meniez
ont	mené	**mèneront**	**mèneraient**		mènent
ai	fini	finirai	finirais		finisse
as	fini	finiras	finirais	finis	finisses
a	fini	finira	finirait		finisse
avons	fini	finirons	finirions	finissons	finissions
avez	fini	finirez	finiriez	finissez	finissiez
ont	fini	finiront	finiraient		finissent
ai	accueilli	**accueillerai**	**accueillerais**		accueille
as	accueilli	**accueilleras**	**accueillerais**	accueille	accueilles
a	accueilli	**accueillera**	**accueillerait**		accueille
avons	accueilli	**accueillerons**	**accueillerions**	accueillons	accueillions
avez	accueilli	**accueillerez**	**accueilleriez**	accueillez	accueilliez
ont	accueilli	**accueilleront**	**accueilleraient**		accueillent
ai	**acquis**	acquerrai	acquerrais		acquière
as	**acquis**	acquerras	acquerrais	acquiers	acquières
a	**acquis**	acquerra	acquerrait		acquière
avons	**acquis**	acquerrons	acquerrions	acquérons	acquiérions
avez	**acquis**	acquerrez	acquerriez	acquérez	acquiériez
ont	**acquis**	acquerront	acquerraient		acquièrent
ai	béni	bénirai	bénirais	bénis	bénisse
ai	cueilli	**cueillerai**	**cueillerais**	cueille	cueille
ai	**couru**	courrai	courrais		coure
as	**couru**	courras	courrais	cours	coures
a	**couru**	courra	courrait		coure
avons	**couru**	courrons	courrions	courons	courions
avez	**couru**	courrez	courriez	courez	couriez
ont	**couru**	courront	courraient		courent
ai	dormi	dormirai	dormirais		dorme
as	dormi	dormiras	dormirais	dors	dormes
a	dormi	dormira	dormirait		dorme
avons	dormi	dormirons	dormirions	dormons	dormions
avez	dormi	dormirez	dormiriez	dormez	dormiez
ont	dormi	dormiront	dormiraient		dorment

Infinitive Present Participle	Present Indicative	Imperfect	Simple Past
BOUILLIR like *dormir* (to boil)	**bous**	bouillais	bouillis
MENTIR like *dormir* (to lie)	**mens**	mentais	mentis
SENTIR like *dormir* (to feel)	**sens**	sentais	sentis
SERVIR like *dormir* (to serve)	**sers**	servais	servis
SORTIR like *dormir* (to go out)	**sors**	sortais	sortis
PARTIR like *dormir* (to leave)	**pars**	partais	partis
MOURIR (to die) mourant	**meurs** **meurs** **meurt** **mourons** **mourez** **meurent**	mourais mourais mourait mourions mouriez mouraient	mourus mourus mourut mourûmes mourûtes moururent
OBTENIR like *tenir* (to obtain)	**obtiens**	obtenais	**obtins**
OFFRIR like *ouvrir* (to offer)	**offre**	offrais	offris
OUVRIR (to open) ouvrant	**ouvre** **ouvres** **ouvre** **ouvrons** **ouvrez** **ouvrent**	ouvrais ouvrais ouvrait ouvrions ouvriez ouvraient	ouvris ouvris ouvrit ouvrîmes ouvrîtes ouvrirent
SOUFFRIR like *ouvrir* (to suffer)	**souffre**	souffrais	souffris
SE SOUVENIR like *venir* (to remember)	**souviens**	souvenais	**souvins**
TENIR like *venir* (to hold)	**tiens**	tenais	**tins**
VENIR (to come) venant	**viens** **viens** **vient** **venons** **venez** **viennent**	venais venais venait venions veniez venaient	**vins** **vins** **vint** **vînmes** **vîtes** **vinrent**

IRE   Many verbs ending in **-ire** belong to the third conjugation which ends in **-re** but are conjugated like **-ir** verbs. Compared with **finir**, they have, in many tenses, only one **s** while **finir** has **two.**

CONDUIRE (to conduct, to drive) conduisant	**conduis** **conduis** **conduit** **conduisons** **conduisez** **conduisent**	conduisais conduisais conduisait conduisions conduisiez conduisaient	**conduisis** **conduisis** **conduisit** **conduisîmes** **conduisîtes** **conduisirent**

Past Indefinite		Future	Conditional	Imperative	Present Subjunctive
ai	bouillii	bouillirai	bouillirais	bous	bouille
ai	menti	mentirai	mentirais	mens	mente
ai	senti	sentirai	sentirais	sens	sente
ai	servi	servirai	servirais	sers	serve
suis	sorti(e)	sortirai	sortirais	sors	sorte
suis	parti(e)	partirai	partirais	pars	parte
suis	**mort(e)**	**mourrai**	**mourrais**		meure
es	**mort(e)**	**mourras**	**mourrais**	meurs	meures
est	**mort(e)**	**mourra**	**mourrait**		meure
sommes	**mort(e)s**	**mourrons**	**mourrions**	mourons	mourions
êtes	**mort(e)s**	**mourrez**	**mourriez**	mourez	mouriez
sont	**mort(e)s**	**mourront**	**mourraient**		meurent
ai	**obtenu**	**obtiendrai**	**obtiendrais**		obtienne
				obtiens	
ai	**offert**	offrirai	offrirais		offre
				offre	
ai	**ouvert**	ouvrirai	ouvrirais		ouvre
as	**ouvert**	ouvriras	ouvrirais	ouvre	ouvres
a	**ouvert**	ouvrira	ouvrirait		ouvre
avons	**ouvert**	ouvrirons	ouvririons	ouvrons	ouvrions
avez	**ouvert**	ouvrirez	ouvririez	ouvrez	ouvriez
ont	**ouvert**	ouvriront	ouvriraient		ouvrent
ai	**souffert**	souffrirai	souffrirais		souffre
				souffre	
suis	**souvenu(e)**	**souviendrai**	**souviendrais**		souvienne
				souviens-toi	
ai	**tenu**	**tiendrai**	**tiendrais**		tienne
				tiens	
suis	**venu(e)**	**viendrai**	**viendrais**		vienne
es	**venu(e)**	**viendras**	**viendrais**	viens	viennes
est	**venu(e)**	**viendra**	**viendrait**		vienne
sommes	**venu(e)s**	**viendrons**	**viendrions**	venons	venions
êtes	**venu(e)s**	**viendrez**	**viendriez**	venez	veniez
sont	**venu(e)s**	**viendront**	**viendraient**		viennent
ai	**conduit**	conduirai	conduirais		conduise
as	**conduit**	conduiras	conduirais	conduis	conduises
a	**conduit**	conduira	conduirait		conduise
avons	**conduit**	conduirons	conduirions	conduisons	conduisions
avez	**conduit**	conduirez	conduiriez	conduisez	conduisiez
ont	**conduit**	conduiront	conduiraient		conduisent

Infinitive Present Participle	Present Indicative	Imperfect	Simple Past
CONSTRUIRE like *conduire* (to build)	**construis**	construisais	**construisis**
CUIRE like *conduire* (to cook)	**cuis**	cuisais	**cuisis**
DIRE (to say, tell) disant	**dis** **dis** **dit** **disons** **dites** **disent**	disais disais disait disions disiez disaient	**dis** **dis** **dit** **dîmes** **dîtes** **dirent**
ECRIRE (to write) écrivant	**écris** **écris** **écrit** **écrivons** **écrivez** **écrivent**	écrivais écrivais écrivait écrivions écriviez écrivaient	**écrivis** **écrivis** **écrivit** **écrivîmes** **écrivîtes** **écrivirent**
FAIRE (to do, make) faisant	**fais** **fais** **fait** **faisons** **faites** **font**	faisais faisais faisait faisions faisiez faisaient	**fis** **fis** **fit** **fîmes** **fîtes** **firent**
INTRODUIRE like *conduire* (to introduce)	**introduis**	introduisais	**introduisis**
PLAIRE (to please) plaisant	**plais** **plais** **plaît** **plaisons** **plaisez** **plaisent**	plaisais plaisais plaisait plaisions plaisiez plaisaient	**plus** **plus** **plut** **plûmes** **plûtes** **plurent**
PRODUIRE like *conduire* (to produce)	**produis**	produisais	**produisis**
RIRE (to laugh) riant	**ris** **ris** **rit** **rions** **riez** **rient**	riais riais riait riions riiez riaient	**ris** **ris** **rit** **rîmes** **rîtes** **rirent**
SOURIRE like *rire* (to smile)	**souris**	souriais	**souris**
SUFFIRE (to suffice) suffisant	**suffis** **suffis** **suffit** **suffisons** **suffisez** **suffisent**	suffisais suffisais suffisait suffisions suffisiez suffisaient	**suffis** **suffis** **suffit** **suffîmes** **suffîtes** **suffirent**

Past Indefinite		Future	Conditional	Imperative	Present Subjunctive
ai	**construit**	construirai	construirais		construise
				construis	
ai	**cuit**	cuirai	cuirais		cuise
				cuis	
ai	**dit**	dirai	dirais		dise
as	**dit**	diras	dirais	dis	dises
a	**dit**	dira	dirait		dise
avons	**dit**	dirons	dirions	disons	disions
avez	**dit**	direz	diriez	dites	disiez
ont	**dit**	diront	diraient		disent
ai	**écrit**	écrirai	écrirais		écrive
as	**écrit**	écriras	écrirais	écris	écrives
a	**écrit**	écrira	écrirait		écrive
avons	**écrit**	écrirons	écririons	écrivons	écrivions
avez	**écrit**	écrirez	écririez	écrivez	écriviez
ont	**écrit**	écriront	écriraient		écrivent
ai	**fait**	**ferai**	**ferais**		**fasse**
as	**fait**	**feras**	**ferais**	fais	**fasses**
a	**fait**	**fera**	**ferait**		**fasse**
avons	**fait**	**ferons**	**ferions**	faisons	**fassions**
avez	**fait**	**ferez**	**feriez**	faites	**fassiez**
ont	**fait**	**feront**	**feraient**		**fassent**
ai	**introduit**	introduirai	introduirais		introduise
				introduis	
ai	**plu**	plairai	plairais		plaise
as	**plu**	plairas	plairais	plais	plaises
a	**plu**	plaira	plairait		plaise
avons	**plu**	plairons	plairions	plaisons	plaisions
avez	**plu**	plairez	plairiez	plaisez	plaisiez
ont	**plu**	plairont	plairaient		plaisent
ai	**produit**	produirai	produirais		produise
				produis	
ai	**ri**	rirai	rirais		rie
as	**ri**	riras	rirais	ris	ries
a	**ri**	rira	rirait		rie
avons	**ri**	rirons	ririons	rions	riions
avez	**ri**	rirez	ririez	riez	riiez
ont	**ri**	riront	riraient		rient
ai	**souri**	sourirai	sourirais		sourie
				souris	
ai	**suffi**	suffirai	suffirais		suffise
as	**suffi**	suffiras	suffirais	suffis	suffises
a	**suffi**	suffira	suffirait		suffise
avons	**suffi**	suffirons	suffirions	suffisons	suffisions
avez	**suffi**	suffirez	suffiriez	suffisez	suffisiez
ont	**suffi**	suffiront	suffiraient		suffisent

Infinitive Present Participle	Present Indicative	Imperfect	Simple Past
SE TAIRE like *plaire* (to be silent)	**tais**	taisais	**tus**
TRADUIRE like *conduire* (to translate)	**traduis**	traduisais	**traduisis**

RE — Third conjugation verbs ending in -re

Infinitive Present Participle	Present Indicative	Imperfect	Simple Past
RENDRE (model) (to return)	rends	rendais	rendis
	rends	rendais	rendis
	rend	rendait	rendit
	rendons	rendions	rendîmes
	rendez	rendiez	rendîtes
rendant	rendent	rendaient	rendirent
APPRENDRE like *prendre* (to learn)	apprends	apprenais	**appris**
BATTRE (to beat)	**bats**	battais	battis
	bats	battais	battis
	bat	battait	battit
	battons	battions	battîmes
	battez	battiez	battîtes
battant	**battent**	battaient	battirent
BOIRE (to drink)	**bois**	buvais	**bus**
	bois	buvais	**bus**
	boit	buvait	**but**
	buvons	buvions	**bûmes**
	buvez	buviez	**bûtes**
buvant	**boivent**	buvaient	**burent**
COMBATTRE like *battre* (to fight)	**combats**	combattais	combattis
COMPRENDRE like *prendre* (to understand)	comprends	comprenais	**compris**
CONNAITRE (to know)	**connais**	connaissais	**connus**
	connais	connaissais	**connus**
	connaît	connaissait	**connut**
	connaissons	connaissions	**connûmes**
	connaissez	connaissiez	**connûtes**
connaissant	**connaissent**	connaissaient	**connurent**
CONVAINCRE like *vaincre* (to convince)	**convaincs**	convainquais	**convainquis**
COUDRE (to sew)	**couds**	cousais	**cousis**
	couds	cousais	**cousis**
	coud	cousait	**cousit**
	cousons	cousions	**cousîmes**
	cousez	cousiez	**cousîtes**
cousant	**cousent**	cousaient	**cousirent**

Past Indefinite		Future	Conditional	Imperative	Present Subjunctive
suis	**tu**	tairai	tairais		taise
				tais-toi	
ai	**traduit**	traduirai	traduirais		traduise
				traduis	

Past Indefinite		Future	Conditional	Imperative	Present Subjunctive
ai	rendu	rendrai	rendrais		rende
as	rendu	rendras	rendrais	rends	rendes
a	rendu	rendra	rendrait	rendons	rende
avons	rendu	rendrons	rendrions		rendions
avez	rendu	rendrez	rendriez	rendez	rendiez
ont	rendu	rendront	rendraient		rendent
ai	**appris**	apprendrai	apprendrais		apprenne
				apprends	
ai	battu	battrai	battrais		batte
as	battu	battras	battrais	bats	battes
a	battu	battra	battrait		batte
avons	battu	battrons	battrions	battons	battions
avez	battu	battrez	battriez	battez	battiez
ont	battu	battront	battraient		battent
ai	**bu**	boirai	boirais		boive
as	**bu**	boiras	boirais	bois	boives
a	**bu**	boira	boirait		boive
avons	**bu**	boirons	boirions	buvons	buvions
avez	**bu**	boirez	boiriez	buvez	buviez
ont	**bu**	boiront	boiraient		boivent
ai	combattu	combattrai	combattrais		combatte
				combats	
ai	**compris**	comprendrai	comprendrais		comprenne
				comprends	
ai	**connu**	connaîtrai	connaîtrais		connaisse
as	**connu**	connaîtras	connaîtrais	connais	connaisses
a	**connu**	connaîtra	connaîtrait		connaisse
avons	**connu**	connaîtrons	connaîtrions	connaissons	connaissions
avez	**connu**	connaîtrez	connaîtriez	connaissez	connaissiez
ont	**connu**	connaîtront	connaîtraient		connaissent
ai	convaincu	convaincrai	convaincrais		convainque
				convaincs	
ai	**cousu**	coudrai	coudrais		couse
as	**cousu**	coudras	coudrais	couds	couses
a	**cousu**	coudra	coudrait		couse
avons	**cousu**	coudrons	coudrions	cousons	cousions
avez	**cousu**	coudrez	coudriez	cousez	cousiez
ont	**cousu**	coudront	coudraient		cousent

Infinitive Present Participle	Present Indicative	Imperfect	Simple Past
CRAINDRE (to fear)	crains crains craint craignons craignez	craignais craignais craignait craignions craigniez	craignis craignis craignit craignîmes craignîtes
craignant	craignent	craignaient	craignirent
CROIRE (to believe)	crois crois croit croyons croyez	croyais croyais croyait croyions croyiez	crus crus crut crûmes crûtes
croyant	croient	croyaient	crurent
ENTREPRENDRE like *prendre* (to undertake)	entreprends	entreprenais	entrepris
METTRE (to put)	mets mets met mettons mettez	mettais mettais mettait mettions mettiez	mis mis mit mîmes mîtes
mettant	mettent	mettaient	mirent
NAITRE (to be born)	nais nais naît naissons naissez	naissais naissais naissait naissions naissiez	naquis naquis naquit naquîmes naquîtes
naissant	naissent	naissaient	naquirent
PARAITRE like *connaître* (to appear)	parais	paraissais	parus
PERMETTRE like *mettre* (to allow, permit)	permets	permettais	permis
PLAINDRE like *craindre* (to pity)	plains plains plaint plaignons plaignez	plaignais plaignais plaignait plaignions plaigniez	plaignis plaignis plaignit plaignîmes plaignîtes
plaignant	plaignent	plaignaient	plaignirent
POURSUIVRE like *suivre* (to follow)	poursuis	poursuivais	poursuivis
PRENDRE (to take)	prends prends prend prenons prenez	prenais prenais prenait prenions preniez	pris pris prit prîmes prîtes
prenant	prennent	prenaient	prirent
PROMETTRE like *mettre* (to promise)	promets	promettais	promis

204

Past Indefinite		Future	Conditional	Imperative	Present Subjunctive
ai	**craint**	craindrai	craindrais		craigne
as	**craint**	craindras	craindrais	crains	craignes
a	**craint**	craindra	craindrait		craigne
avons	**craint**	craindrons	craindrions	craignons	craignions
avez	**craint**	craindrez	craindriez	craignez	craigniez
ont	**craint**	craindront	craindraient		craignent
ai	**cru**	croirai	croirais		croie
as	**cru**	croiras	croirais	crois	croies
a	**cru**	croira	croirait		croie
avons	**cru**	croirons	croirions	croyons	croyions
avez	**cru**	croirez	croiriez	croyez	croyiez
ont	**cru**	croiront	croiraient		croient
ai	**entrepris**	entreprendrai	entreprendrais		entreprenne
				entreprends	
ai	**mis**	mettrai	mettrais		mette
as	**mis**	mettras	mettrais	mets	mettes
a	**mis**	mettra	mettrait		mette
avons	**mis**	mettrons	mettrions	mettons	mettions
avez	**mis**	mettrez	mettriez	mettez	mettiez
ont	**mis**	mettront	mettraient		mettent
suis	**né(e)**	naîtrai	naîtrais		naisse
es	**né(e)**	naîtras	naîtrais	nais	naisses
est	**né(e)**	naîtra	naîtrait		naisse
sommes	**né(e)s**	naîtrons	naîtrions	naissons	naissions
êtes	**né(e)s**	naîtrez	naîtriez	naissez	naissiez
sont	**né(e)s**	naîtront	naîtraient		naissent
ai	**paru**	paraîtrai	paraîtrais		paraisse
				parais	
ai	**permis**	permettrai	permettrais		permette
				permets	
ai	**plaint**	plaindrai	plaindrais		plaigne
as	**plaint**	plaindras	plaindrais	plains	plaignes
a	**plaint**	plaindra	plaindrait		plaigne
avons	**plaint**	plaindrons	plaindrions	plaignons	plaignions
avez	**plaint**	plaindrez	plaindriez	plaignez	plaigniez
ont	**plaint**	plaindront	plaindraient		plaignent
ai	**poursuivi**	poursuivrai	poursuivrais		poursuive
				poursuis	
ai	**pris**	prendrai	prendrais		prenne
as	**pris**	prendras	prendrais	prends	prennes
a	**pris**	prendra	prendrait		prenne
avons	**pris**	prendrons	prendrions	prenons	prenions
avez	**pris**	prendrez	prendriez	prenez	preniez
ont	**pris**	prendront	prendraient		prennent
ai	**promis**	promettrai	promettrais		promette
				promets	

Infinitive / Present Participle	Present Indicative	Imperfect	Simple Past
RECONNAÎTRE like *connaître* (to recognize)	reconnais	reconnaissais	reconnus
SUIVRE (to follow)	suis	suivais	suivis
	suis	suivais	suivis
	suit	suivait	suivit
	suivons	suivions	suivîmes
	suivez	suiviez	suivîtes
suivant	suivent	suivaient	suivirent
SURPRENDRE like *prendre* (to surprise)	surprends	surprenais	surpris
VAINCRE (to defeat)	vaincs	vainquais	vainquis
	vaincs	vainquais	vainquis
	vainc	vainquait	vainquit
	vainquons	vainquions	vainquîmes
	vainquez	vainquiez	vainquîtes
vainquant	vainquent	vainquaient	vainquirent
VIVRE (to live)	vis	vivais	vécus
	vis	vivais	vécus
	vit	vivait	vécut
	vivons	vivions	vécûmes
	vivez	viviez	vécûtes
vivant	vivent	vivaient	vécurent

OIR   Verbs ending in -oir

Infinitive / Present Participle	Present Indicative	Imperfect	Simple Past
APERCEVOIR like *recevoir* (to notice)	aperçois	apercevais	aperçus
ASSEOIR(s') (to sit down)	assois	assoyais	assis
	assois	assoyais	assis
	assoit	assoyait	assit
	assoyons	assoyions	assîmes
	assoyez	assoyiez	assîtes
assoyant(s')	assoient	assoyaient	assirent
	assieds	asseyais	
	assieds	asseyais	
	assied	asseyait	
	asseyons	asseyions	
	asseyez	asseyiez	
asseyant(s')	asseyent	asseyaient	

Past Indefinite		Future	Conditional	Imperative	Present Subjunctive
ai	**reconnu**	reconnaîtrai	reconnaîtrais		reconnaisse
				reconnais	
ai	**suivi**	suivrai	suivrais		suive
as	**suivi**	suivras	suivrais	suis	suives
a	**suivi**	suivra	suivrait		suive
avons	**suivi**	suivrons	suivrions	suivons	suivions
avez	**suivi**	suivrez	suivriez	suivez	suiviez
ont	**suivi**	suivront	suivraient		suivent
ai	**surpris**	surprendrai	surprendrais		surprenne
				surprends	
ai	vaincu	vaincrai	vaincrais		vainque
as	vaincu	vaincras	vaincrais	vaincs	vainques
a	vaincu	vaincra	vaincrait		vainque
avons	vaincu	vaincrons	vaincrions	vainquons	vainquions
avez	vaincu	vaincrez	vaincriez	vainquez	vainquiez
ont	vaincu	vaincront	vaincraient		vainquent
ai	**vécu**	vivrai	vivrais		vive
as	**vécu**	vivras	vivrais	vis	vives
a	**vécu**	vivra	vivrait		vive
avons	**vécu**	vivrons	vivrions	vivons	vivions
avez	**vécu**	vivrez	vivriez	vivez	vivez
ont	**vécu**	vivront	vivraient		vivent

Past Indefinite		Future	Conditional	Imperative	Present Subjunctive
ai	**aperçu**	**apercevrai**	**apercevrais**		aperçoive
				aperçois	
suis	**assis**(e)	**assoirai**	**assoirais**		assoie
es	**assis**(e)	**assoiras**	**assoirais**	assois-toi	assoies
est	**assis**(e)	**assoira**	**assoirait**		assoie
sommes	**assis**(es)	**assoirons**	**assoirions**	assoyons-nous	assoyions
êtes	**assis**(es)	**assoirez**	**assoiriez**	assoyez-vous	assoyiez
sont	**assis**(es)	**assoiront**	**assoiraient**		assoient
		asseyerai	**asseyerais**		asseye
		asseyeras	**asseyerais**	assieds-toi	asseyes
		asseyera	**asseyerait**		asseye
		asseyerons	**asseyerions**	asseyons-nous	asseyions
		asseyerez	**asseyeriez**	asseyez-vous	asseyiez
		asseyeront	**asseyeraient**		asseyent
		assiérai	**assiérais**		
		assiéras	**assiérais**		
		assiéra	**assiérait**		
		assiérons	**assiérions**		
		assiérez	**assiériez**		
		assiéront	**assiéraient**		

Infinitive Present Participle	Present Indicative	Imperfect	Simple Past
DEVOIR (to owe, ought)	**dois**	devais	**dus**
	dois	devais	**dus**
	doit	devait	**dut**
	devons	devions	**dûmes**
	devez	deviez	**dûtes**
devant	**doivent**	devaient	**durent**
FALLOIR (must)	**faut**	**fallait**	fallut
POUVOIR (to be able)	**peux**	pouvais	**pus**
	peux	pouvais	**pus**
	peut	pouvait	**put**
	pouvons	pouvions	**pûmes**
	pouvez	pouviez	**pûtes**
pouvant	**peuvent**	pouvaient	**purent**
PLEUVOIR (to rain)	**pleut**	**pleuvait**	**plut**
PREVOIR like *voir* (to foresee)	**prévois**	prévoyais	**prévis**
RECEVOIR (to receive)	**reçois**	recevais	**reçus**
	reçois	recevais	**reçus**
	reçoit	recevait	**reçut**
	recevons	recevions	**reçûmes**
	recevez	receviez	**reçûtes**
recevant	**reçoivent**	recevaient	**reçurent**
SAVOIR (to know)	**sais**	savais	**sus**
	sais	savais	**sus**
	sait	savait	**sut**
	savons	savions	**sûmes**
	savez	saviez	**sûtes**
sachant	**savent**	savaient	**surent**
VALOIR (to be worth)	**vaux**	valais	valus
	vaux	valais	valus
	vaut	valait	valut
	valons	valions	valûmes
	valez	valiez	valûtes
valant	**valent**	valaient	valurent
VOIR (to see)	**vois**	voyais	**vis**
	vois	voyais	**vis**
	voit	voyait	**vit**
	voyons	voyions	**vîmes**
	voyez	voyiez	**vîtes**
voyant	**voient**	voyaient	**virent**
VOULOIR like *pouvoir* (want)	**veux**	voulais	voulus

Past Indefinite		Future	Conditional	Imperative	Present Subjunctive
ai	**dû**	**devrai**	**devrais**		doive
as	**dû**	**devras**	**devrais**	dois	doives
a	**dû**	**devra**	**devrait**		doive
avons	**dû**	**devrons**	**devrions**	devons	devions
avez	**dû**	**devrez**	**devriez**	devez	deviez
ont	**dû**	**devront**	**devraient**		doivent
a	fallu	**faudra**	**faudrait**		**faille**
ai	**pu**	**pourrai**	**pourrais**		**puisse**
as	**pu**	**pourras**	**pourrais**		**puisses**
a	**pu**	**pourra**	**pourrait**		**puisse**
avons	**pu**	**pourrons**	**pourrions**		**puissions**
avez	**pu**	**pourrez**	**pourriez**		**puissiez**
ont	**pu**	**pourront**	**pourraient**		**puissent**
a	**plu**	**pleuvra**	**pleuvrait**		pleuve
ai	prévu	prévoirai	prévoirais		prévoie
				prévois	
ai	**reçu**	**recevrai**	**recevrais**		reçoive
as	**reçu**	**recevras**	**recevrais**	reçois	reçoives
a	**reçu**	**recevra**	**recevrait**		reçoive
avons	**reçu**	**recevrons**	**recevrions**	recevons	recevions
avez	**reçu**	**recevrez**	**recevriez**	recevez	receviez
ont	**reçu**	**recevront**	**recevraient**		reçoivent
ai	**su**	**saurai**	**saurais**		**sache**
as	**su**	**sauras**	**saurais**	**sache**	**saches**
a	**su**	**saura**	**saurait**		**sache**
avons	**su**	**saurons**	**saurions**	**sachons**	**sachions**
avez	**su**	**saurez**	**sauriez**	**sachez**	**sachiez**
ont	**su**	**sauront**	**sauraient**		**sachent**
ai	valu	**vaudrai**	**vaudrais**		**vaille**
as	valu	**vaudras**	**vaudrais**	vaux	**vailles**
a	valu	**vaudra**	**vaudrait**		**vaille**
avons	valu	**vaudrons**	**vaudrions**	valons	valions
avez	valu	**vaudrez**	**vaudriez**	valez	valiez
ont	valu	**vaudront**	**vaudraient**		**vaillent**
ai	vu	**verrai**	**verrais**		voie
as	vu	**verras**	**verrais**	vois	voies
a	vu	**verra**	**verrait**		voie
avons	vu	**verrons**	**verrions**	voyons	voyions
avez	vu	**verrez**	**verriez**	voyez	voyiez
ont	vu	**verront**	**verraient**		voient
ai	voulu	**voudrai**	**voudrais**		**veuille**
				veuille	voulions

Gender of Nouns

Masculine

1. Male beings.
un homme, *man*
un lion, *lion*
un frère, *brother*

Exceptions *(nouns that refer to both sexes):*
la victime, *victim*
la personne, *person*

2. Seasons, months, and days of the week.
le printemps, *springtime*
mars, *March*
le jeudi, *Thursday*

3. Cardinal points and winds.
le nord, *north*
le sud, *south*

Exceptions:
la brise, *breeze*
les moussons, *monsoons*

4. French decimal system.
le centime, *centime*
le mètre, *metre*
le litre, *litre*

5. Metals.
le fer, *iron*
l'acier, *steel*

6. Colours.
le vert, *green*
le rouge, *red*

7. Countries not ending in -e.
le Canada, *Canada*
le Brésil, *Brazil*

8. Mountains.
le Jura, *Jura (mountains)*
le St-Bernard, *St-Bernard (mountain)*

Exceptions:
les Alpes, *Alps*
les Pyrénées, *Pyrenees*

9. Rivers ending in a consonant.
le Rhin, *Rhine*
le Nil, *Nile*

10. Trees, shrubs.
le pommier, *apple tree*
le chêne, *oak*
le rosier, *rose-bush*

Exceptions:
une vigne, *vine*
la ronce, *brier*

11. Languages.
le français, *French*
l'allemand, *German*

12. Letters of the alphabet.
un a   un z
un x   un *or* une h

13. Compound words formed of a verb + a noun.
le portefeuille, *wallet*
le porte-clés, *key ring*

Exception:
la garde-robe, *wardrobe*

14. Adverbs, pronouns, verbs, etc., used as nouns.
le boire, *drink*
le manger, *food*
le bien, *good*
le rendez-vous, *rendezvous*

15. Nouns of number and quantity (cardinals, ordinals, proportionals).
le dix mai, *tenth of May*
le neuvième, *ninth*
un tiers, *third*

Exceptions:
la moitié, *half*
numbers ending in -aine.
une douzaine, *dozen*
une centaine, *about a hundred*

16. Nouns ending in **-eau.**
    un oiseau, *bird*
    le poteau, *post*

    Exceptions:
        l'eau, *water*
        la peau, *skin*

17. Nouns ending in **-age.**
    le courage, *courage*
    un orage, *storm*

18. Words ending in **-ent.**
    le serpent, *serpent*
    le dévouement, *devotion; self-sacrifice*

    Exceptions:
        la dent, *tooth*
        la jument, *mare*

19. Nouns ending in **-ier.**
    le papier, *paper*
    le cahier, *exercise book*
    le grenier, *attic*

Feminine

1. Feminine beings.
    la femme, *woman*
    la lionne, *lioness*

2. Virtues.
    la charité, *charity*

    Exceptions:
        le courage, *courage*
        le mérite, *merit*

3. Vices.
    la méchanceté, *wickedness*

    Exception:
        l'orgueil, *pride*

4. Festivals.
    la Toussaint, *All Saints' Day*
    la Saint-Jean, *St. John's Day*
    la (fête de) Noël, *Christmas*

    Exception:
        Noël (masc.) is normally used without the
        article.
        Joyeux Noël, *Merry Christmas*

5. Countries ending in **mute -e.**
    la France, *France*
    l'Amérique, *America*

    Exception:
        le Mexique, *Mexico*

6. Rivers ending in **-e.**
    la Seine, *Seine*
    la Loire, *Loire*

    Exceptions:
        le Rhône, *Rhône*
        le Danube, *Danube*
        le Tibre, *Tiber*

7. Abstract nouns ending in **-eur.**
    la chaleur, *heat*
    la peur, *fear*

    Exceptions:
        le bonheur, *good luck*
        le malheur, *misfortune*
        le labeur, *labour*
        l'honneur, *honour*

8. Nouns ending in **-tion, -sion, -xion.**
    la motion, *motion*
    la nation, *nation*
    la passion, *passion*
    la réflexion, *reflection*

9. Nouns ending in **-aison.**
    la maison, *house*
    la raison, *reason*

10. Nouns ending in **-ance, -ence, -anse, -ense.**
    une avance, *advance*
    la patience, *patience*
    la danse, *dance*
    une offense, *offense*

    Exception:
        le silence, *silence*

11. Nouns ending in a double consonant + **mute -e.**

    la somme, *sum*
    la terre, *earth*
    la ville, *town*

    Exceptions:
        le beurre, *butter*
        le carrosse, *coach*
        le verre, *glass*
        le gramme, *gramme*
        le tonnerre, *thunder*

le squelette, *skeleton*
le somme, *nap*
le mille, *thousand*

12. Fruits, flowers, and vegetables ending in **-e.**
la pomme, *apple*
la prune, *plum*
la carotte, *carrot*
la rose, *rose*

13. Nouns ending in **-ie.**
la vie, *life*
la sortie, *exit*

Exceptions:
le génie, *genius*
un incendie, *conflagration*

14. Nouns ending in **-ée.**
la montée, *climb*
la journée, *day-time*
une année, *year*
une soirée, *evening*

Exceptions:
un lycée, *secondary school*
un musée, *museum*
un trophée, *trophy*

Words with different meanings according to gender

le couple	*male and female*	la couple	*a pair, brace*
le crêpe	*crepe (fabric)*	la crêpe	*pancake*
le livre	*book*	la livre	*pound*
le manche	*handle*	la manche	*sleeve*
		La Manche	*English Channel*
le poêle	*stove*	la poêle	*frying-pan*
le somme	*nap, sleep*	la somme	*sum*
le voile	*veil*	la voile	*sail*
le tour	*turn, trick*	la tour	*tower*
un aigle	*eagle*	une aigle	*standard*
le page	*page (-boy)*	la page	*page (in a book)*

French-English Vocabulary

A

à, *prep.* to, on, at, in
d'abord, (at) first
absent, -e, absent
absolu, -e, absolute
absolument, absolutely
accompagner, to accompany
un accueil, welcome
accueillir, to welcome
acheter, to buy
un acheteur, buyer
achever, to finish
l'acier, m., steel
acquérir, to acquire
un acteur, actor
actif, active, active
une actrice, actress
une addition, bill
adieu, good-bye
un adjectif, adjective
admettre, to admit
admirer, to admire
une adresse, address; skill
un adverbe, adverb
afficher, to post, to display
affirmatif, affirmative, affirmative
afin que, so that; afin de, in order that
affreux, -se, shocking
un âge, age; quel—? how old?
âgé, old; aged
agir, to act
agir: s'agir de, to be about
aider (à), to help
aie, pres. subj. of avoir, (that) I (may) have
un aigle, eagle
une aigle, standard
aille, pres. sub. of aller
ailleurs, elsewhere
aimer, to love, like, be fond of
ainsi, thus, in this way
un air, air, manner, look: avoir l'—de, to seem, to look

aise—être à l', to be comfortable
aisé, easy
ait, pres. sub. avoir
ajouter, to add
l'Allemagne f., Germany
allemand, -e, German (adj.); l'—, German (language)
aller, to go; s'en aller, to go away; —chercher, to get (go and get), (fetch)
alors, then
les Alpes f., Alps
un amateur, amateur; admirer ot
amener, to bring along
américain, -e, American (adj.)
l'Amérique f., America
un ami, friend (boy)
une amie, friend (girl)
l'amour m., love
amusant, -e, comic, funny
s'amuser, to enjoy oneself
un an, year
ancien, -ne, old, ancient
une ancre, anchor
un âne, donkey
anglais, -e, English (adj.); l'—, English (language)
un Anglais, Englishman
l'Angleterre f., England
une année, year
un animal, animal
août m., August
apercevoir, to observe, perceive; s'—de, to be aware of
apparaître, to appear
appartenir, to belong
un appel, call
appeler, to call; il s'appelle, his name is
apporter, to carry
apprendre, to learn
appuyer, to support
après, after; d'—, according to; —que, after

après-demain m., the day after tomorrow
un après-midi, afternoon
un arbre, tree
l'argent m., money
une armée, army
une armoire, cupboard
s'arrêter, to stop
une arrivée, arrival
un article, article
l'artiste m., or f., artist
asseoir, to seat; s'—, to sit down
asseyez-vous, (imp. of s'asseoir) sit down
assez (de), enough
une assiette, plate, dish
assis, seated
assister (à), to be at, attend
attendre, to wait for, expect
une attention, attention; faire—à, to pay attention to
attentivement, attentively, carefully
aucun, -e, no one, none, no
au-dessous, below
au-dessus, above
augmenter, to increase
aujourd'hui, today
auparavant, before, earlier, previously
auquel (à+lequel), to which, to whom
au revoir, good-bye
aussi, also, as, so, and too
aussitôt, immediately; —que, as soon as
autant que, as much as
un auteur, author
une auto, automobile
un autobus, bus
un automne, autumn
une automobile, automobile, car
autour de, around, about
autre, other
autrefois, formerly

autrement, otherwise
avaler, to swallow
avancer, to advance, go ahead; **s'—,** to step forward; **— d'une heure,** to be an hour fast
avant, ahead of, before
avec, with
un **avenir,** future
un **avion,** airplane
un **avis,** opinion, advice
un **avocat,** lawyer
avoir, to have; **—chaud,** be warm; **—besoin (de),** need (to); **—raison,** to be right
avril *m.,* April
ayant, pres. part. **avoir**
ayez, pres. sub. **avoir**

B

les **bagages** *m.,* baggage, luggage
le **bain,** bath
baisser, to lower; decrease
le **bal,** dance
le **balai,** broom
la **balle,** ball, bullet
la **banane,** banana
le **banc,** bench, seat
le **bas,** bottom; stocking
bas, -se, low; **au—de,** below; **en—downstairs**
baser: se—sur, to base oneself on
la **bataille,** battle
le **bateau,** boat
le **bâtiment,** building
bâtir, to build
le **bâton,** stick
battre, to strike; **se—,** fight
beau, bel *m.,* **belle** *f.,* beautiful, fine, handsome
beaucoup, very, much, very much; **—de,** much, (many)
la **beauté,** beauty
le **bébé,** baby
le **Bengale,** Bengal
bénir, to bless
bénisse, sub. of **bénir**
le **berger,** *la* **bergère,** shepherd, shepherdess
besoin: avoir—de, to need
le **beurre,** butter
la **bibliothèque,** library
la **bicyclette,** bicycle
bien, well; **—des,** many; **—que,** although
le **bien,** good
bientôt, soon
le **bifteck,** beefsteak

le **bijou,** jewel
le **billet,** ticket; **prendre un—,** to buy a ticket
blanc, blanche, white
le **blé,** wheat
bleu, -e, blue
blond, -e, blond, fair
le **bœuf,** beef; ox
boire, to drink
le **bois,** wood, woods
la **boisson,** beverage
la **boîte,** box
bon, -ne, good; **—marché,** cheap; **meilleur marché,** cheaper
le **bonbon,** candy
le **bonheur,** happiness, prosperity, welfare
bonjour, good morning
bonsoir, good evening (night)
la **bonté,** kindness
le **bord,** side, edge
bouillir, to boil
le **bout,** end
la **bouteille,** bottle
la **boutique,** shop
le **bras,** arm
brave, brave; good, honest
bref, brève, brief
brièvement, briefly
le **brigand,** robber
briller, to shine
la **brique,** brick
la **brise,** breeze
la **brosse,** brush
brosser, to brush
le **bruit,** noise
brûler, to burn
brun, -e, brown, brunette
le **bureau,** desk; office; **—de poste,** post office
buvant, pres. part. **boire**

C

ça, that; **c'est—,** yes, surely
le **cadeau,** gift, present
le **café,** coffee; **—au lait,** coffee with milk
le **cahier,** notebook
la **Californie,** California
la **campagne,** country
camper, to camp
canadien, -ne, Canadian (adj.)
capable, capable; apt to
la **capitale,** capital
cardinal (*pl.* **cardinaux**), cardinal
car, for, because, as
le **carnaval,** carnival

la **carotte,** carrot
le **carrosse,** coach; stage-coach
la **carte,** map, card; **—du jour,** menu; **à la—from the bill of fare**
le **carton,** cardboard
casser, to break; **se—la tête,** to rack one's brains
cause: à—de, because of
ce, cet *m.,* **cette** *f.,* **ces** *pl.,* this, that, these, those
ceci, this
Cécile, Cecilia
céder, to give up; to yield
cela, that
célèbre, famous
celle *f.,* of **celui**
celui, celle, this, that; **—-ci,** this one, the latter; **—-là,** that one, the former
cent, hundred
une **centaine,** a hundred (approximately)
centième, hundredth
le **centime,** centime
cependant, however
la **cerise,** cherry
le **cerisier,** cherry tree
certain, -e, certain
certainement, certainly
cesser, to stop
cette *f.,* this, that
ceux *m. pl.,* these, those, the ones
chacun, -e, each one
la **chaise,** chair; **—roulante,** wheel-chair
le **chalet,** cottage
la **chaleur,** heat
chaleureux, -se, warm, animated
chaleureusement, cordially
la **chambre,** room
le **champ,** field
la **chance,** luck; **avoir de—,** to be lucky
le **chandail,** sweater, jersey
le **changement,** change
changer, to change; exchange; **—d'habits,** change clothing
la **chanson,** song
chanter, sing
le **chanteur, -se** *f.,* singer
le **chapeau,** hat
le **chapitre,** chapter
chaque, each
charger, to load; **se—de,** to take care of
la **charité,** charity
charmant, -e, charming

charmer, charm
le **chat,** cat
le **château,** castle
chaud, -e, warm; **avoir—,** to be warm
le **chauffeur,** chauffeur
la **chaussure,** foot-gear (shoes, slippers, etc.)
le **chemin,** road; **—de fer,** railway
la **cheminée,** fireplace, chimney
la **chemise,** shirt
le **chêne,** oak
le **chèque,** cheque
cher, chère, dear, expensive
chercher, to look for, seek
le **cheval,** horse; **cheval de course,** race horse
les **cheveux** *m.,* hair
chez, at, to; at the house of; **—les Français,** among the French (people)
le **chien,** dog
le **chiffre,** figure, number
la **Chine,** China
le **chocolat,** chocolate
choisir, to choose
le **choix,** choice
la **chose,** thing; **quelque—,** *m.* something
le **chou,** cabbage
le **ciel,** heaven, sky
le **cinéma,** movies, pictures
cinq, five
cinquante, fifty
cinquième, fifth
le **citoyen,** citizen
clair, -e, light, bright
la **classe,** class; classroom
la **clef, clé,** key
la **cloche,** bell
le **clou,** nail
le **cœur,** heart
le **coin,** corner
le **col,** collar
le **colis,** parcel
la **colline,** hill
combattre, to fight
combien, how much, how many; **—de temps,** how long
commander, to order
comme, like, as, how
commencer (à), to begin (to)
comment, adv., how, why; interj. what!
communal, -e, parochial, common
la **comparaison,** comparison
le **comparatif,** comparative
le **complément,** complement, object; **—direct,** direct

object; **—indirect,** indirect object
complet, complète, complete
compléter, to complete
comprendre, to understand
le **compte,** account
le **comptoir,** counter
le **concert,** concert
le (la) **concierge,** caretaker
conclure, to conclude
la **condition,** condition
le **conditionnel,** conditional
conduire, to lead, conduct; drive (a car)
la **conférence,** lecture, conference
la **confiture,** jam
conforme, in accordance (à, with), suitable (to)
conformément (à), in conformity (with)
le **congé,** holiday
connaître, to know; be acquainted with
le **conseil,** advice
constamment, constantly
constant, -e, constant
construire, to build, construct
contenir, to contain
content, -e, satisfied, happy
contre, against
convaincre, to convince
convenable, suitable
convenir, to suit, fit; **il convient que,** it is fitting that
le **coq,** rooster, cock
la **corbeille,** basket
la **corde,** rope, string
cordialement, cordially
le **corps,** body
correct, -e, correct
corriger, to correct
le **côté,** side; **de chaque—,** on each side
la **côte,** shore, slope
le **cou,** neck
coucher, to sleep, put to bed; **se—,** to go to bed
coudre, to sew
couler, to flow
la **couleur,** colour
le **coup,** blow; **sûr de son—,** sure of success; **tout à—,** suddenly; **tout d'un—,** all of a sudden
couper, to cut; **se—,** to cut oneself
la **couple,** pair, brace
le **couple,** couple, male and female
la **cour,** court, yard

le **courage,** courage
courir, to run
le **cours,** course
la **course,** running, run, errand, race
court, -e, short, brief
le **cousin,** *la* **cousine,** cousin
le **coussin,** cushion
le **couteau,** knife
coûter, to cost
la **coutume,** custom, habit
couvert, -e, covered
le **couvert,** cover; **mettre le—,** to set the table
couvrir, to cover
la **craie,** chalk
craignant, pres. part. **craindre**
craindre, to fear
craint, pres. or p.p. **craindre**
la **crainte,** fear
la **cravate,** necktie
le **crayon,** pencil
créer, to create
la **crème,** cream
la **crêpe,** pancake
le **crêpe,** crepe (fabric)
le **cri,** cry, shout
crier, to cry out, shout
le **crime,** crime
croire, to believe
la **croissance,** growth
la **croix,** cross
croyant, pres. part. **croire**
cru, p.p. **croire**
le **crustacé,** crustacean, shellfish
cruel, -le, cruel
cueillir, to gather, pick
la **cuiller, cuillère,** spoon
cuire, to cook
la **cuisine,** kitchen, cooking
le **cuisinier,** *la* **cuisinière,** cook
le **cuivre,** copper

D

la **dame,** lady
le **danger,** danger
dangereux, -se, dangerous
dans, in
la **danse,** dance
danser, to dance
le **Danube,** Danube
la **date,** date
davantage, more
David, David
de, of, from, by, with, on
debout, standing
le **début,** beginning
décembre *m.,* December
défendre, to defend

le **défilé**, parade, procession
défini: le passé défini, the past
   definite
dehors, outside
déjà, already
le **déjeuner**, lunch; **le petit—**,
   breakfast
le **délai**, delay
délicieux, -se, delicious
demain, tomorrow
demander, to ask, to ask for;
   se—, to wonder
demeurer, to live; remain
demi, -e, half
la **demoiselle**, young lady
démonstratif, demonstrative
la **dent**, tooth
le **dentiste**, dentist
le **départ**, departure
dépêcher: se—, to hurry (up)
dépendre, to depend; **—de**, to
   depend on
depuis, since, from
dernier, dernière, last
derrière, behind
dès que, as soon as
descendre, to come down, go
   down
désirer, to wish, want, desire
désoler, to grieve, desolate
le **dessert**, dessert
le **dessin**, drawing
dessiner, to draw
dessous, below, underneath;
   au—, below
dessus, above, over; **au—**,
   above
le **détail**, detail
deux, two; **les—**, both
deuxième, second
devant, in front of
devenir, to become
devint, pas. simp. **devenir**
le **devoir**, exercise, assignment,
   duty
le **dévouement**, devotion
dévouer, to dedicate; **se—**, to
   devote oneself
le **diamant**, diamond
le **dictionnaire**, dictionary
le **dicton**, saying, proverb
Dieu m., God
difficile, difficult
la **dignité**, dignity
le **dimanche**, Sunday
le **dindon**, turkey
le **dîner**, dinner
dire, to say, tell
direct, -e, direct
le **directeur**, principal, headmaster

diriger, to direct; **se—vers**, to
   make one's way towards
discuter, to discuss
disjoint, disjunctive
le **disque**, record
distinguer, to distinguish; **se—**,
   to distinguish oneself
dit, pres., p.p., or pas. simp.
   dire
dites, pres. **dire**
le **divan**, couch
dix, ten
dixième, tenth
dix-huitième, eighteenth
dix-neuvième, nineteenth
dix-sept, seventeen
dix-septième, seventeenth
une **dizaine**, about ten
le **docteur**, doctor
le **doigt**, finger; toe
le **dollar**, dollar
le **dommage**, damage; **c'est—**, it
   is a pity
donc, so, therefore
donner, to give
dont, of whom, of which, whose
dormir, to sleep
le **dos**, back
le **douanier**, custom-house officer
la **douleur**, pain, ache
le **doute**, doubt; **sans—**,
   doubtless, without doubt
doux, douce, sweet
la **douzaine**, dozen
le **drapeau**, flag
droit, -e, right; **se trouver à—**,
   to be on the right
drôle, funny
dû, due, p.p. **devoir**
dur, -e, hard
durant, during, for

E

l'**eau** f., water
un **éclair**, flash (of lightning)
une **école**, school
écouter, to listen
écrire, to write
un **écrivain**, writer
une **écurie**, stable
un **effet**, result, effect; **en—**, in
   fact, really, indeed
un **effort**, effort
effrayant, -e, frightful,
   dreadful
égal, -e, equal, same
une **église**, church
élégant, -e, elegant

un **élève**, une **élève**, pupil
elliptique, elliptical
empêcher, to prevent
un **emploi**, employment
employer, to use; employ
emporter, to carry away,
   remove
emprunter, to borrow
en, some, any, of it, of them,
   from it, from them
en, prep., into, within, of, at,
   on, by, made of; while, to, as
encore, yet, again, still, more
l'**encre** f., ink
un **encrier**, inkwell
s'**endormir**, to fall asleep
un **endroit**, place
l'**enfant** m. or f., child
enfin, at last
enfoncer, drive (a nail)
un **ennemi**, enemy
énorme, enormous
énormément, enormously
enragé, -e, mad (dog)
enseigner, to teach
ensemble, together
ensuite, then, next
entendre, to hear, listen to;
   —dire, hear (people) say or
   speak
une **entente**, understanding
entre, between
entrer, to enter
entretenir, to maintain
envers, toward, for
environ, about
envoyer, to send
épais, -se, thick
une **épicerie**, grocery store
une **épine**, thorn
une **épouse**, wife
un **époux**, husband
une **erreur**, error
un **escargot**, snail
espagnol, -e, Spanish (adj.):
   l'**—**, Spanish (language)
espérer, to hope
l'**esprit** m., mind
à l'**esprit**, in mind
essayer, to try
et, and
les **États-Unis** m., United States
un **été**, summer
être, to be; **—en train de**, be in
   the act of; while
étroit, -e, narrow
une **étude**, a study
un **étudiant**, student
étudier, to study
eu, p.p. **avoir**

eux, them
évidemment, evidently
évident, -e, evident, clear
exact, -e, accurate
exactement, exactly
un **examen,** examination
un **exemple,** example
un **exemplaire,** copy
un **exercice,** exercise
excellent, -e, excellent
expliquer, to explain
une **exposition,** exhibition
exquis, -e, exquisite

F

la **face,** face; **en—de,** facing, opposite
fâcher, to grieve, to anger; **se—,** to become angry
facile, easy
la **façon,** sort, manner
le **facteur,** postman
la **facture,** bill
faible, weak
faille, pres. sub. **falloir**
la **faim,** hunger; **avoir—,** to be hungry
faire, to make, do; **—attention,** pay attention; **—la classe,** to teach a class
le **fait,** fact
fallait, imp. **falloir; il—,** it was necessary
falloir, to be necessary, must
fameux, -se, famous
la **famille,** family
faudra, fut. **falloir**
faut, pres. **falloir; il—,** it is necessary
la **faute,** mistake, error
le **fauteuil,** armchair
faux, fausse, false
favori, favorite, favourite
la **femme,** woman, wife
la **fenêtre,** window
le **fer,** iron
fera, fut. **faire**
la **ferme,** farm
fermer, to close
le **fermier,** farmer
le **festival,** festival
la **fête,** holiday, birthday
le **feu,** fire
la **feuille,** leaf
février, *m.,* February
fidèle, faithful
fier, fière, proud
la **figure,** face
la **fille,** daughter, girl

la **fillette,** young girl, lass
le **film,** film, picture
le **fils,** son
la **fin,** end
final, -e, final
finir, to finish
la **fleur,** flower
le **fleuve,** river
la **foi,** faith
la **fois,** time
la **folie,** folly, foolishness
le **fond,** bottom, end; **au—,** in reality
la **fontaine,** fountain
la **forêt,** forest
la **forme,** form
fort, -e, strong
fou, fol, folle, foolish; mad, insane; **un fou,** madman
le **foyer,** home, hearth
frais, fraîche, fresh, cool
la **fraise,** strawberry
le **franc,** franc (money)
François, Francis
français, -e, French (adj.); **le—,** French (language)
frapper, to strike
le **frère,** brother
froid, -e, cold
frit, fried
des frites, French fried potatoes
le **fromage,** cheese
les **fruits** *m.,* fruit
fuir, to flee
fumer, to smoke
le **futur,** future

G

le **gagnant,** winner
gagner, to win, gain, earn
gai, -e, gay
gaîment or **gaiement,** gaily
le **gant,** glove
le **garage,** garage
le **garçon,** boy, waiter
la **garde-malade,** nurse
la **garde-robe,** wardrobe
le **gardien, -ne,** guardian
la **gare,** railroad station
le **gâteau,** cake
gauche, left
le **gazon,** lawn
geler, to freeze
général, -e, general
généreux, -se, generous
le **génie,** genius
le **genre,** gender
le **genou,** knee; **à genoux,** kneeling

les **gens** *m.,* people, persons
gentil, -le, nice
la **glace,** mirror, looking-glass; ice
glacial, -e, glacial, cold
la **gorge,** throat
le **goût,** taste; liking
gouverner, to govern
le **gramme,** gram
grand, -e, great, big, large, tall
grandement, greatly
la **grand-mère,** grandmother
le **grand-père,** grandfather
la **gravure,** engraving, etching
le **grenier,** attic, loft
grimaces, faire des—, make faces
gris, -e, gray
gronder, to scold
gros, -se, big, large, fat
le **groupe,** group
guère, hardly
guérir, to cure, get cured, get well
la **guerre,** war
le **guichet,** wicket
le **guignol,** Punch and Judy show

H

(Aspirate **h** is indicated by ')
habile, clever
s' **habiller,** to dress oneself
la **'hache,** axe
habiter, to inhabit, dwell, live
la **'haie,** hedge
la **'haine,** hate
'haïr, to hate
le **'hameau,** hamlet
le **'hangar,** hangar, shed
le **'hanneton,** May-bug
le **'hareng,** herring
le **'haricot,** bean
le **'hasard,** chance; accident; **par—,** by chance
la **'hâte,** speed, hurry
avoir—de, to be eager
'hâter, to hurry; **se—,** to hurry, hasten
'haut, -e, high, tall; top
la **'hauteur,** height
le **'havre,** harbour, haven
Hélène, Helen
Henri, Henry
hériter, to inherit
le **'héron,** heron
le **'héros,** hero
une **'héroïne,** heroine
hésiter, to hesitate
une **heure,** hour

heurter, to strike
heureux, -se, happy
le **'hibou**, owl
hier, yesterday
une **histoire**, history; story
un **hiver**, winter
le **'hockey**, hockey
le **'homard**, lobster
un **homme**, man
un **honneur**, honour
la **'honte**, shame, disgrace
un **hôpital**, hospital
un **horaire**, time-table
'hors, out of, outside
un **hôte**, *une* **hôtesse**, host, hostess; guest
un **hôtel**, hotel
'huit, eight
humain, -e, human

I

ici, here
une **idée**, idea
une **île**, island
illuminer, to enlighten
une **image**, picture
immense, immense
immensément, immensely, infinitely
l' **imparfait**, imperfect
impair, odd (number)
l' **impératif**, imperative
important, -e, important
importer, to be of importance
impossible, impossible
un **incendie**, fire, conflagration
incroyable, unbelievable
l' **indéfini**, indefinite; **le passé indéfini**, the past indefinite
l' **indicatif**, indicative (mood)
incorrect, -e, incorrect
indiquer, indicate
inquiet, inquiète, uneasy, anxious
l' **inquiétude** *f.*, anxiety, uneasiness
un **instituteur**, *une* **institutrice**, teacher
une **intention**, intention
un **intérêt**, interest
interrogatif, -ive, interrogative
interpréter, to render (in music)
introduire, to introduce, show in
inutile, useless
inviter (à), to invite
l' **Italie** *f.*, Italy

italien, -ne, Italian (adj.) **l'—**, Italian (language)
les **italiques** *m.*, italics; **en italique**, in italics

J

jaloux, -se, jealous
jamais, ever, never; **ne—**, never
la **jambe**, leg
janvier *m.*, January
le **Japon**, Japan
le **jardin**, garden
jaune, yellow
Jean, John
jeter, to throw
le **jeu**, game
jeudi *m.*, Thursday
jeune, young
la **joie**, joy
joli, -e, pretty
jouer, to play
le **jouet**, toy
le **joueur**, player
jouir (de), to enjoy
le **jour**, day
le **journal**, newspaper
le **journaliste**, journalist
la **journée**, day
joyeux, -se, happy, merry
le **juge**, judge
juillet *m.*, July
juin *m.*, June
la **jument**, mare
jusqu'à, up to, until, as far as; **jusque**, up to, as far as; **jusqu'à ce que**, till, until
juste, just right, right, correct
justement, exactly

K

le **kilomètre**, kilometre (five-eighths of a mile)

L

là, there; **—-bas** over there, yonder
le **labeur**, labour
labourer, to plow
le **lac**, lake
laid, -e, ugly
laisser, to let
le **lait**, milk
la **laitue**, lettuce
lancer, to throw, to fling
la **langue**, language, tongue
se **laver**, to wash oneself
la **leçon**, lesson

la **lecture**, reading
léger, légère, light
le **légume**, vegetable
lent, slow
lentement, slowly
lequel, laquelle, who, whom, which, that, which one?
lesquels, lesquelles, who, whom, which ones?
la **lettre**, letter; **écrire en toutes—s**, to write out in full
leur, their, to them
le **leur**, theirs
lever, to raise, lift; **se—**, get up
libre, free
le **lieu**, place; **au—de**, instead of
la **ligne**, line
le **lion**, lion
la **lionne**, lioness
lire, to read
le **lit**, bed
la **littérature**, literature
la **livre**, pound
le **livre**, book
livrer, to deliver, hand over
un **logement**, housing, lodging
loger, to lodge, live
le **logis**, house, home
loin (de), far from
la **Loire**, Loire (river in France)
Londres, London
long, -ue, long
longtemps, a long time
la **longueur**, length
lorsque, when
louer, to praise
lourd, -e, heavy
lu, p.p. **lire**
lui, to him, to her; he, him
lui-même, himself
lundi *m.*, Monday
le **lycée**, high school

M

madame (*abbr.* **Mme**), (*pl.* **mesdames**), madam; Mrs.
mademoiselle, (*abbr.* **Mlle.**) (*pl.* **mesdemoiselles**), miss
le **magasin**, store; **le grand—**, department store
magnifique, magnificent, splendid, grand
mai *m.*, May
maintenant, now
maintenir, maintain
le **maire**, mayor
mais, but
la **maison**, house
le **maître**, master, teacher

mal, adv. badly, bad, wrong
le **mal,** pain, ill
malade, sick
malgré, in spite of
le **malheur,** misfortune
malheureux, -se, unhappy, unfortunate
la **malle,** trunk
le **manche,** handle
la **manche,** sleeve
la **Manche,** English Channel
manger, to eat
le **manger,** food
la **manière,** manner, way
manquer, to miss, lack
le **manteau,** cloak, mantle, coat
le **marché,** market; **bon—,** cheap
marcher, to walk
mardi *m.,* Tuesday
Margot, Peggy, Margot
Marguerite, Margaret
le **mari,** husband
marier, to marry, give in marriage; **se—,** to get married
mars *m.,* March
masculin, masculine
le **mât,** mast
maternel, -le, maternal
les **mathématiques** *f.,* mathematics
le **matin,** morning
la **matinée,** morning
mauvais, -e, bad
me, me, to me
le **mécanicien,** mechanic
méchant, -e, naughty, wicked, bad
la **méchanceté,** wickedness
une **médaille,** medal
le **médecin,** doctor
meilleur, -e, better; **le—,** the best: **—marché,** cheaper
mêler, to mingle, mix
même, same, even
mener, to lead, take
mentir, to lie
la **mer,** sea
merci, thank you
mercredi *m.,* Wednesday
la **mère,** mother
le **mérite,** merit
la **merveille,** wonder, marvel
mériter, to deserve
mesdames, ladies
les **messieurs,** gentlemen
le **mets,** dish
le **mètre,** meter
mettre, to put, place, put on; **se—à,** to start, begin
le **Mexique,** Mexico

Michel, Michael
le **midi,** noon
le **mien, la mienne,** mine
mieux, better
mil, see **mille**
le **milieu,** middle
mille, (a) thousand
le **mille,** mile
un **millier,** (about) a thousand
le **million,** million
minuit *m.,* midnight
la **misère,** trouble, misery
le **mode,** mood
la **mode,** fashion
modeler, to model
moi, I, me, to me
moindre, less; **le—,** least
moins, adv. less; **le—,** least
le **mois,** month
la **moitié,** half
le **moment,** moment
mon, ma (*pl.* **mes**), my
le **monde,** world, people; **tout le—,** everybody
la **monnaie,** coin; change; money
le **monsieur** (*abbr.* **M.**) (*pl.* **messieurs,** *abbr.* **MM.**), Sir, Mr., gentleman
la **montagne,** mountain
monter, to climb, go up
la **montre,** watch
Montréal, Montreal
montrer, to show
le **morceau,** piece, bit
mort, p.p. **mourir**
la **mort,** death
le **mot,** word
la **motion,** motion
le **mouchoir,** handkerchief
mourir, to die; **se—,** be dying
mourrai, fut. **mourir**
mourut, p. simp. **mourir**
les **moussons** *f.,* monsoons
le **moyen,** means
muet, -te, dumb, mute
le **mur,** wall
le **musée,** museum

N

naître, to be born
la **nage,** swimming
nager, to swim
la **nappe,** tablecloth
la **natation,** swimming
la **nation,** nation
naval, -e, naval
ne: ne . . . ni, neither . . . nor;
ne . . . pas, not;

ne . . . que, only
né, p.p. **naître**
nécessaire, necessary
la **nécessité,** necessity, need
négatif, négative, negative
la **négation,** negation
la **neige,** snow
neiger, to snow
neuf, nine
neuf, neuve, new
neuvième, ninth
le **neveu,** nephew
le **nez,** nose
la **Noël,** Christmas
noir, -e, black
la **noix,** walnut
le **nom,** name
non, no, not
le **nombre,** number
le **nord,** north
la **note,** mark
noter, to note
notre, our
le **nôtre, la nôtre** (*pl.* **les nôtres**), ours
nous, we; us; to us
nouveau, nouvel, nouvelle, new
la **nouvelle,** news
novembre *m.,* November
la **nuit,** night
le **numéro,** number

O

obéir (à), to obey
un **objet,** object
obscur, -e, obscure, dim
obtenir, to obtain
occuper, to occupy
octobre *m.,* October
un **œil** (*pl.* **yeux**), eye
un **œuf,** egg
une **œuvre,** work
une **offense,** offence
offert, p.p. **offrir**
un **officier,** officer
offrir, to offer
un **oiseau,** bird
un **oncle,** uncle
onze, eleven
opposer, to oppose
un **orage,** storm
une **orange,** orange
une **oraison,** oration, prayer
ordinaire, ordinary, usual
ordinal (*pl.,* **ordinaux**), ordinal
ordonner, to command
orgueil *m.,* pride
ou, or
où, where

oublier, to forget
ouest *m.,* west
oui, yes
outre-mer, overseas
un **outil,** tool
ouvert, p.p. **ouvrir**
un **ouvrage,** work, piece of work
un **ouvrier,** worker
ouvrir, to open

P

la **page,** page (in a book)
le **page,** page (-boy)
le **pain,** bread; **un petit—,** roll
pair, even (number)
la **paire,** pair, brace, couple
la **paix,** peace
le **palais,** palace
le **panier,** basket
le **pantalon,** pants
le **papier,** paper
le **paquet,** parcel, package
par, by, by means of, with, over
paraît, pres. **paraître**
paraître, to seem, appear
le **parapluie,** umbrella
le **parc,** park
parce que, because
le **pardon,** pardon
la **parenthèse,** parenthesis
pareil, -le, like, alike
le **parent,** parent, relative
parfait, -e, perfect
parfois, sometimes, at times
parler, to speak
parmi, among
la **parole,** word
pars, pres. **partir**
le **participe,** participle
partitif, partitive, partitive
le **partitif,** partitive
partout, everywhere
paru, p.p. **paraître**
parut, p. simp. **paraître**
pas, adv. neg., no, not, not any;
   ne—, no, not, not any
passé, past; last; **le passé défini
   (le passé simple),** the past
   definite; **le passé indéfini
   (passé composé),** the past
   indefinite
passer, to pass; spend (time);
   to take (an examination)
la **passion,** passion
le **patin,** skate
patiner, to skate
le **patron,** patron, chief,
   proprietor (hotel)

la **patte,** paw
Paul, Paul
pauvre, poor
la **pauvreté,** poverty
payer, to pay, pay for
le **pays,** country
le **paysage,** landscape
la **peau,** skin
la **pêche,** fishing; peach
le **pêcheur,** fisherman
le **peigne,** comb
la **peine,** trouble, difficulty
peindre, to paint, describe
le **peintre,** painter
la **peinture,** painting
peler, to peel, pare off
la **pelle,** shovel, spade
pendant, during, for; **—que,**
   while
la **pensée,** thought
penser, to think
perdre, to lose; **—son temps,**
   lose one's time
le **père,** father
permettre, to permit, allow
la **permission,** permission
la **personne,** person
personne, no one, nobody
personnel, -le, personal
peser, to weigh
petit, -e, small, little
peu, little; **à—près,** nearly,
   about
un **peu,** a little
le **peuple,** people
la **peur,** fear
peureux, -se, timid
peut-être, perhaps
la **photo,** photograph
la **phrase,** sentence
le **piano,** piano
la **pièce,** play, piece
le **pied,** foot
la **pierre,** stone
la **pilule,** pill
le **pinceau,** paint brush
la **pipe,** pipe
le **pique-nique,** picnic
la **pitié,** pity
la **place,** place
placer, to place
le **plafond,** ceiling
la **plage,** beach
plaindre, to pity; **se plaindre,** to
   complain
plaire, to please, suit; **s'il vous
   plaît,** if you please
le **plaisir,** pleasure
la **planche,** board, plank
le **plancher,** floor

planter, to plant
un **plat,** plate, dish
plein, -e (de), full (of), filled
   (with)
pleurer, to weep, cry
pleuvoir, to rain
plu, p.p. **pleuvoir**
le **pluriel,** plural
la **plupart,** most
plus, more; **le—,** most; **ne—,** no
   more; **de—,** besides, more,
   moreover
plusieurs, several
plut, p. simp. **plaire**
plutôt, rather; **—que,** rather
   than
la **poche,** pocket
la **poêle,** frying-pan
le **poêle,** stove
le **poème,** poem
la **poésie,** poetry
le **poing,** fist; **un coup de—,** punch
point, adv. no, not
la **poire,** pear
le **poirier,** pear tree
le **poison,** poison
le **poisson,** fish
poli, -e, polite
poliment, politely
la **politesse,** politeness
polluer, to pollute
la **pomme,** apple
le **pommier,** apple tree
pondre, to lay (eggs)
le **pont,** bridge
la **porte,** door
le **porte-feuille,** pocket-book,
   wallet
porter, to carry
le **porteur,** porter
le **portrait,** picture
poser (une question), to ask a
   question
la **position,** position
le **possessif, -ve,** possessive
posséder, to possess
possible, possible
la **poste,** post-office, mail
le **poste,** position, post
le **potage,** soup
le **poteau,** post
la **poule,** hen
la **poupée,** doll
le **pourboire,** tip
pourquoi, why
poursuivre, to follow, pursue
pousser, to grow; push
pouvoir, to be able, can, may
précis, -e, precise
précisément, precisely

préférer, to prefer
premier, -ière, first
prendre, to take
la préposition, preposition
près (de), near
le présent, present; the present
    tense
présent, -e, present
la présentation, showing
présenter, to present
presque, almost
prêt, -e, ready
prêter, to lend
prier, to pray; ask; je vous en
    prie, I beg of you
principal, -e, principal, chief
le principal, principal, head
le printemps, spring
le prix, price, cost, prize
la procession, procession
prochain, -e, next
procurer, to procure, obtain
produire, to produce
le professeur, professor, teacher
profond, -e, profound, deep
profondément, profoundly
promettre, to promise
le pronom, pronoun
prononcer, to pronounce
la prononciation, pronunciation
propre, own, very; clean, neat
protéger, to protect
pu, p.p. pouvoir
public, publique, public
puis, pres. pouvoir
puis, then, next
puisque, since, because
puisse, pres. sub. pouvoir
punir, to punish
la punition, punishment
le pupitre, desk
put, p. simple pouvoir
Pyrénées f., Pyrenees

Q

le quai, wharf, quay
la qualité, quality
quand, when
la quantité, quantity
quant à, with regard to; as for
quarante, forty
le quart, quarter
quatorze, fourteen
quatorzième, fourteenth
quatre, four
quatrième, fourth
que, conj., that, than, if, as
que, interj., what!

que, rel. pron., whom, which,
    what, that
que: ne . . . que, only
quel, -le, adj., which? what?
quelque, some, any, a few;
    —chose, something;
    quelqu'un -e, someone
quelquefois, sometimes
qu'est-ce que, int. pron., what?;
    —c'est? what is that?;
    —c'est que? what is . . . ?
qu'est-ce qui? int. pron., what?
la question, question
qui, rel. pron., who, whom,
    which, that
quinze, fifteen
quinzième, fifteenth
quitter, to leave, quit
quoi, what, which; what!
quoique, although, whatever

R

raconter, to tell, relate (a
    story)
la radio, radio
la raison, reason
ralentir, to slow down
avoir raison, to be right
rappeler, to recall,
se rappeler, to remember
rare, rare
rarement, rarely
recevoir, to receive
la recherche, research
rechercher, to search for
reçoit, pres. recevoir
reconnaître, to recognize
reçu, p.p. recevoir
la réflection, reflection
le regard, look, appearance
regarder, to look (at)
la règle, ruler, rule
régler, to rule, regulate
regretter, to regret
la reine, queen
relatif, relative, relative
remercier (de), to thank (for)
remettre, to put off; put back;
    se—à, start, begin again
remit, p. simp. remettre
remonter, to go back, date
    (from); wind (a clock)
remplacer, to replace
remplir, to fill, complete
remporter, to carry or take
    back, take away
renaître, to be born again

la rencontre, meeting, encounter
rencontrer, to meet, encounter;
    se—, meet
un rendez-vous, appointment
rendre, to give back, repay
renommé, -e, famous, renowned
la rentrée, reopening, return
rentrer, to return, re-enter,
    return home
renvoyer, to send away, dismiss
le repas, meal
repasser, to press
répéter, to repeat
répliquer, to retort, reply
répondre, to reply, respond
la réponse, answer, reply
reposer, to place again; se—, to rest
reprendre, to take back; resume
résoudre, to solve
ressembler, se—, to look alike
le restaurant, restaurant
le reste, rest, remainder; du—,
    moreover, besides
rester, to remain
le retard, delay, lateness; en—, late
retenir, to retain
le retour, return; être de—, to be
    back
réussir (à), to succeed
se réveiller, to wake up
revendre, to sell again
revenir, to come back, return
revenu, p.p. revenir
reverrai, fut. revoir
revins, p. simp. revenir
revoir, to see again
le Rhône, Rhone (river)
riche, rich
le rideau, curtain
rien, nothing; ne—, nothing
rire, to laugh
la rivière, river
la robe, dress, robe
le roi, king
le rôle, role, part
le roman, novel; —policier,
    detective story
la romance, song, ballad
la ronce, brier
la rose, rose
le rosier, rose-bush
rouge, red
la route, route, road
le ruban, ribbon, tape, band
la rue, street

S

sachant, pres. part. savoir
sache, pres. sub. savoir

sage, good, wise
sain, -e, safe; —et sauf, safely
sais, pres. savoir
la saison, season
sale, dirty
la salle, room; —de classe,
    classroom
le salon, parlour
saluer, to salute
le samedi, Saturday
le sang, blood
sans, without
saurai, fut. savoir
sauter, to jump
sauver, to save
savant, -e, learned; n.m.
    scientist, scholar
savoir, to know
le savon, soap
la scie, saw
la science, science
sec, sèche, dry
second, -e, second
le secours, help
la Seine, Seine (river)
seize, sixteen
seizième, sixteenth
selon, according to
la semaine, week
sembler, to seem
semer, to sow
le sens, sense
sentir, to feel
sept, seven
septième, seventh
serai, fut. être
le serpent, serpent
la serre, greenhouse
serrer, to press, squeeze; —la
    main, shake hands
sers, pres. servir
le service, service
servir, to serve; se—, use
seul, alone, sole, single
seulement, only
sévère, severe
sévèrement, severely
si, adv., so; conj.; if, whether;
    interj.; yes (reply to a
    negative)
le siècle, century; age
le sien, la sienne, his, hers, its
le sifflet, whistle
sincère, sincere
signer, to sign
le singulier, singular
six, six
le ski, ski, skiing; faire du—, to
    ski, go skiing
la sœur, sister

soi, oneself, self; itself
la soie, silk
soient, pres. sub. être
la soif, thirst; avoir—, to be
    thirsty
soigner, to care for, to look
    after
le soin, care; avoir—de, to be
    careful of
le soir, evening
la soirée, evening; evening party
soit . . . soit, either . . . or
soixante, sixty
le soldat, soldier
le soleil, sun; il fait du—, the sun
    is shining
la somme, sum, amount
le somme, nap, sleep
le sommeil, sleep; avoir—, to be
    sleepy
son, sa, ses, his, hers; its, one's
le son, sound
songer (à), to think of, dream
    of
sonner, to ring
la sorte, kind, manner
la sortie, going out, departure, exit
sortir, to go out, leave; take out
le sou, cent, sou
le souci, care, worry
soudain, suddenly
souffrir, to suffer
souhaiter, to wish
le soulier, shoe
souligner, to underline
souper, to have supper
le souper, supper
le sourire, smile
sous, under
le souvenir, remembrance
souvenir: se—(de), to remember
souvent, often
soyez, pres. sub. and
    imperative of être
spécial, -e, special
spirituel, -le, witty
le sport, sport, games
le squelette, skeleton
le stylo, pen
su, p.p. savoir
le subjonctif, subjunctive
le succès, success
sucré, sweet
le sud, south
suis, pres. être; pres. suivre
la suite, rest; series; following;
    attendants; tout de—,
    immediately, at once
suivant, -e, following, next;
    prep. according to

suivre, to follow
le sujet, subject; au—de,
    concerning
le superlatif, -ve, superlative
sur, on
sûr, -e, sure, safe
sûrement, surely, certainly
surmonter, to surmount,
    overcome
surtout, especially

T

ta, f. your
le tabac, tobacco
le tableau, picture; —(noir),
    blackboard
se taire, to be silent
tant (de), so much (many);
    —mieux, so much the better;
    —que, as long as
la tante, aunt
le tapis, rug
tard, late
la tarte, pie
la tasse, cup
le taxi, taxi
te, you, to you
tel, -le, such, like
le téléphone, telephone
téléphoner, to telephone
la télévision, television
le temps, time; weather; tense; en
    même—, at the same time
tenait, imperf. tenir
tenir, to hold
terminer, to end, finish
la terre, earth; par—, on the
    ground, on the floor
terrible, terrible
le territoire, territory
la tête, head
le thé, tea
le théâtre, theatre
la théière, teapot
le Tibre, Tiber (river)
le tien, la tienne, yours
tiendrai, fut. tenir
le tiers, third
le tigre, tiger
le timbre, stamp
le tiret, dash
le tiroir, drawer
le titre, title
toi, you, to you, yourself
la tomate, tomato
le tombeau, tomb
tomber, to fall
ton, ta, tes, your
le tonnerre, thunder

tort, wrong, harm; **avoir—,** to be wrong

tôt, early, soon, quickly

toucher, to touch

toujours, always

la **tour,** tower

le **tour,** turn, walk

tourner, to turn

tout (*pl.* **tous**), all; whole; each, every; **tous les jours,** every day; **—le temps,** all the time; **—le monde,** everybody

tout, indef. pronoun, all, everything

traduire, to translate

le **train,** train; **être en—de,** to be in the act of

tranquille, quiet, calm; **laissez-moi—,** leave me alone

tranquillement, quietly

le **travail,** work

travailler, to work

treize, thirteen

treizième, thirteenth

trembler, to tremble, shake

trente, thirty

très, very, very much

triste, sad

tristement, sadly

trois, three

tromper, to deceive; **se—,** be deceived, be mistaken

trop (de), too much (many), too

le **trou,** hole

la **troupe,** troupe (players)

trouver, to find

le **trophée,** trophy

tu, you

tuer, to kill

U

uniforme, uniform

uniformément, uniformly

une **unité,** unit

une **université,** university

utile, useful

utilement, usefully

V

va, pres. and imperative of **aller**

les **vacances** *f.,* vacation

vacant, -e, vacant, unfilled

la **vache,** cow

vaille, pres. sub. **valoir**

vain, vain; **en—,** in vain

vaincre, to conquer

le **vainqueur,** winner, conqueror

vais, pres. **aller**

la **vaisselle,** dishes

valait, imperf. **valoir**

la **valeur,** value, courage

la **valise,** suitcase, valise

valoir, to be worth; **il vaut mieux,** it is better

vaudra, fut. **valoir**

vaut, pres. **valoir**

vécu, p.p. **vivre**

la **veille,** day before, eve

venait, imperf. **venir**

le **vendeur, -se,** seller, vendor

vendre, to sell

le **vendredi,** Friday

venir, to come; **—chercher,** to come for, come and get; **il vient de sortir,** he has just gone out

le **vent,** wind

venu, p.p. **venir**

le **verbe,** verb

la **vérité,** truth

verrai, fut. **voir**

le **verre,** glass

vers, towards

le **vers,** verse

vert, -e, green

la **vertu,** virtue

le **vêtement,** garment, clothes

le **veuf,** widower

veuille, pres. sub. **vouloir**

veuillez, imperative **vouloir,** please

veut, pres. **vouloir**

la **veuve,** widow

la **viande,** meat

la **victime,** victim

victorieux, -se, victorious

la **vie,** life

le **vieillard,** old man

viendrai, fut. **venir**

viennent, pres. **venir**

vieux, vieil, vieille, old

le **vieux,** old man

la **vieille,** old woman

vif, vive, lively, bright; alive

la **vigne,** vineyard

vilain, -e, mean, ugly, homely

le **village,** village

la **ville,** town, city

le **vin,** wine

vingt, twenty

vingtième, twentieth

vint, p. simp. **venir**

vis, pres. **vivre**

le **visage,** face

la **visite,** visit; **rendre—à,** to pay a visit to

visiter, to visit

le **visiteur,** visitor

vit, pres. **vivre**

vit, p. simp. **voir**

vite, quick, right away; *adv.,* swiftly

la **vitesse,** speed

vive, long live!

vivre, to live

voici, here is (are)

voilà, there is (are)

la **voile,** sail

le **voile,** veil

voir, to see

le **voisin, -e,** neighbour

la **voiture,** car

la **voix,** voice

le **vol,** theft

voler, to steal

le **voleur, -se,** thief, robber

le **volume,** volume

votre, (pl. **vos**), your

le **vôtre** (pl. **les vôtres**), yours

voulant, pres. part. **vouloir**

vouloir, to wish, want, will

voulu, p.p. **vouloir**

vous, you; for you

voyant, pres. part. **voir**

voyez, pres. and imperative **voir**

vrai, -e, real, true

vraiment, really

vu, p.p. **voir**

W

le **wagon,** coach

Y

y, there; in it; to it; **il—a,** there is, there are; ago

les **yeux** *m.,* eyes (see **œil**)

Z

le **zéro,** zero

Answer Key

Unit 1

Exercice 1.
1. Il veut la règle.
2. Il écrit sur le papier.
3. Nous écoutons le professeur de sciences.
4. Je vois le cousin de M. Duhamel.
5. Je vais à l'Hôtel Bonaventure.
6. Je regarde le mur.
7. Je suis la fille de M. Leblanc.
8. Nous voulons les résultats des examens.
9. J'aime le hockey.
10. C'est aujourd'hui le huit janvier.
11. Je cherche la règle de Marie.
12. C'est le directeur de l'école primaire.
13. Elle veut les bagages qui sont là-bas.
14. Il veut voir les enfants de M. Duval.
15. Il préfère le homard.
16. J'entends les hiboux.
17. Il admire l'auteur de ce roman.
18. Il aime la sœur de Jacques.
19. J'écoute les disques français.
20. Ils voient les autres garçons.

Unit 2

Exercice 1.
1. Tu as un petit frère.
2. Tu as des sœurs.
3. Tu as des pommes.
4. Tu as des livres d'histoire.
5. Tu as un jeune frère.
6. Tu as des amis nouveaux.
7. Tu as un bureau de travail.
8. Tu as une belle auto.
9. Tu as des billets de théâtre.
10. Tu as un bon dictionnaire.
11. Tu as un cousin français.
12. Tu as une grand-mère âgée.

Unit 3

Exercice 1.
1. Ils veulent les livres des enfants.
2. Nous allons au restaurant de l'université.
3. Nous entendons le chant de l'oiseau.
4. Ils coupent les branches des arbres.
5. Nous cherchons l'entrée de la maison.
6. Nous parlons de l'auteur des livres.
7. Il va à la présentation du film.
8. Vous allez visiter une partie de la ferme.
9. Il demande le respect des enfants.
10. Je désire afficher le prix du manteau.

Exercice 2.
1. J'en donne au marchand.
2. J'en donne à l'hôpital.
3. J'en donne aux élèves.
4. J'en donne à la tante de Pierre.
5. J'en donne à la jeune fille.
6. J'en donne au gagnant de la course.
7. J'en donne aux membres de la classe.
8. J'en donne aux pauvres.
9. J'en donne à l'enfant.
10. J'en donne au soldat blessé.

Exercice 3.
1. Nous voyons les fenêtres de l'église.
2. Nous voyons le livre de l'étudiant.
3. Nous voyons l'entrée de l'hôpital.
4. Nous voyons le haut de la page.
5. Nous voyons le chemin de la montagne.
6. Nous voyons l'auto du jeune homme.
7. Nous voyons la forme du dessin.
8. Nous voyons l'entrée de la cour.
9. Nous voyons le besoin des autres.
10. Nous voyons le père de l'étudiante.

Exercice 4.
1. J'entends le son harmonieux des cloches.
2. Elle admire la nouvelle robe de la jeune fille.
3. Elle demande le prix des billets.
4. Elle veut connaître l'adresse de l'acteur italien.
5. Il cherche le bureau du professeur.
6. Je vois le bateau du pêcheur.
7. Je veux rencontrer l'ami de la jeune fille.
8. Je veux savoir le titre de la chanson.
9. Il craint le regard du chien féroce.
10. Elle n'aime pas les bruits de la grande rue.
11. Ils regardent la photo de l'actrice.
12. Il admire le courage des astronautes.

Test

Exercice 1.
1. Elle connaît l'ami de l'actrice.
2. Il cherche l'entrée du métro.
3. Il veut l'adresse de l'auteur.
4. Elle admire les amis de la jeune fille.
5. Ils entendent le sifflet du train.
6. Elles attendent les élèves de la classe.
7. Elle craint le bruit du tonnerre.
8. Ils attendent l'arrivée des amis.
9. Elles admirent les animaux de la ferme.
10. Ils n'aiment pas la rentrée des classes.

Exercice 2.
1. Il parle à la plus jeune fille de la classe.
2. Elle montre souvent ses devoirs aux étudiants du lycée.
3. Ils vont souvent au cinéma de la ville voisine.
4. Elle parle souvent au père de l'enfant qui est malade.

5. Nous allons au café des étudiants.
6. Elle envoie ses devoirs aux professeurs du collège.
7. Elle parle aux amis des jeunes filles.
8. Il donne les résultats des examens aux étudiants.
9. Je vais souvent à l'hôpital rendre visite à l'ami de Margot.
10. Nous allons à la sortie de l'école pour y retrouver nos amis.

Unit 4

Exercice 1.
1. Elle achète des oranges.
2. Il commande du tabac américain.
3. Nous voulons des bas.
4. Il demande des réponses justes.
5. Il me donne de bons devoirs.
6. Nous leur offrons des légumes et des fruits.
7. Il n'a plus d'amis.
8. Il y a des chiens dehors.
9. Nous voulons beaucoup d'argent.
10. Il y a beaucoup de roses dans mon jardin.

Exercice 2.
1. Alors, il veut du lait.
2. Alors, elle veut des chandails.
3. Alors, il veut des pommes.
4. Alors, ils boivent du café.
5. Alors, tu manges de la viande.
6. Alors, tu achètes des oranges.
7. Alors, elle boit du café.
8. Alors, il désire de l'or.
9. Alors, elle boit de la limonade.
10. Alors, tu bois du thé.
11. Alors, elle achète des robes de soie.
12. Alors, elles mangent du pain blanc.

Unit 5

Exercice 1.
1. Est-ce que vous avez raison?
2. Est-ce que tes (vos) parents ont une auto?
3. Est-ce que nous avons votre permission?
4. Est-ce que tu as hâte de revenir?
5. Est-ce que M. Lebrun a un bureau?
6. Est-ce qu'ils ont des fruits?
7. Est-ce que nous avons le bon numéro?
8. Est-ce que vous avez des rubans?
9. Est-ce que le fermier déteste la saison des pluies.
10. Est-ce que j'ai des cahiers?

Exercice 2.
1. Gouverne-t-il son pays?
2. Avez-vous des devoirs?
3. Aime-t-elle ses amis?
4. Etes-vous en retard?
5. Appelle-t-il sa mère?
6. Etes-vous chez vous?
7. Le professeur parle-t-il français?
8. Répond-elle aux lettres?
9. Irène veut-elle ses notes?
10. Le chien nage-t-il?

Exercice 3.
1. a) Est-ce que vous êtes fatigués?
   b) Etes-vous fatigués?
   c) Vous êtes fatigués?
2. a) Est-ce qu'Emile regarde la photo?
   b) Emile regarde-t-il la photo?
   c) Emile regarde la photo?

3. a) Est-ce qu'il demande une réponse?
   b) Demande-t-il une réponse?
   c) Il demande une réponse?
4. a) Est-ce que vous venez avec lui?
   b) Venez-vous avec lui?
   c) Vous venez avec lui?
5. a) Est-ce qu'il chante bien?
   b) Chante-t-il bien?
   c) Il chante bien?
6. a) Est-ce que Jean écrit à son oncle?
   b) Jean écrit-il à son oncle?
   c) Jean écrit à son oncle?
7. a) Est-ce qu'elle apporte un dictionnaire?
   b) Apporte-t-elle un dictionnaire?
   c) Elle apporte un dictionnaire?
8. a) Est-ce qu'elle entend les oiseaux?
   b) Entend-elle les oiseaux?
   c) Elle entend les oiseaux?
9. a) Est-ce que vous visiterez la cathédrale demain?
   b) Visiterez-vous la cathédrale demain?
   c) Vous visiterez la cathédrale demain?
10. a) Est-ce que Marie a beaucoup de robes?
    b) Marie a-t-elle beaucoup de robes?
    c) Marie a beaucoup de robes?

Test

Exercice 1.
1. Il a de l'encre et du papier.
2. Elle a des amis.
3. Jean n'a pas d'amis.
4. Je ne veux pas de café à ce prix.
5. Je n'ai pas d'argent.
6. Claire a beaucoup de travail à faire.
7. Avez-vous trop d'exercices à corriger?
8. Il désire de la crème pour son café.
9. Oui, mais il n'a pas de café.
10. As-tu assez de timbres?

Exercice 2.
1. Oui, j'ai des amis partout.
2. Non, je n'ai pas d'ennemis dans cette ville.
3. Oui, j'ai trop de travail à faire.
4. Oui, j'ai des étudiants français dans ma classe.
5. Oui, j'ai des enfants au lycée.
6. Oui, j'ai assez d'argent pour vivre.
7. Oui, j'ai de vieux portraits à la maison.
8. Oui, j'ai de la crème pour ton café.
9. Non, je n'ai pas de liberté ici.
10. Oui, j'ai toute la liberté possible.
11. Oui, j'ai beaucoup d'exercices à faire.
12. Non, je n'ai pas de billets pour ton ami.
13. Oui, j'ai du tabac dans ma tabatière.
14. Non, je n'ai pas assez d'argent pour voyager.
15. Non, je n'ai pas de lait pour ton chat.

Exercice 3.
1. a) Est-ce que vous avez un stylo?
   b) Avez-vous un stylo?
2. a) Est-ce que Jeanne parle français?
   b) Jeanne parle-t-elle français?
3. a) Est-ce qu'il a un cahier?
   b) A-t-il un cahier?
4. a) Est-ce que tu es au bord de la mer?
   b) Es-tu au bord de la mer?
5. a) Est-ce que vous avez beaucoup de pommes?
   b) Avez-vous beaucoup de pommes?

6. a) Est-ce qu'elles aiment danser?
   b) Aiment-elles danser?
7. a) Est-ce que Marie parle à sa tante?
   b) Marie parle-t-elle à sa tante?
8. a) Est-ce qu'il entend le sifflet?
   b) Entend-il le sifflet?
9. a) Est-ce que tu as un dictionnaire?
   b) As-tu un dictionnaire?
10. a) Est-ce que tu es heureuse?
    b) Es-tu heureuse?
11. a) Est-ce qu'ils sont au cinéma?
    b) Sont-ils au cinéma?
12. a) Est-ce qu'elles vont au bal ce soir?
    b) Vont-elles au bal ce soir?
13. a) Est-ce qu'ils écoutent un disque de Maurice Chevalier?
    b) Ecoutent-ils un disque de Maurice Chevalier?
14. a) Est-ce que vous êtes prêts?
    b) Etes-vous prêts?
15. a) Est-ce que tu as une cigarette?
    b) As-tu une cigarette?

Unit 6

Exercice 1.
1. Il y a cinq chaises.
2. Il y a cent garçons.
3. Il y a quarante-deux pages.
4. Il y a mille livres.
5. Il y a quatre-vingt-quinze chiens.
6. Il y a deux cent cinquante hommes.
7. Il y a deux cents étudiants.
8. Il y a vingt-deux chansons.
9. Il y a cinquante-deux semaines.
10. Il y a treize jours.
11. Il y a vingt et une années.
12. Il y a cent mille dollars.
13. Il y a quatre-vingt-un arbres.
14. Il y a cent soixante-quinze livres.
15. Il y a quatre-vingt-dix jours.
16. Il y a quatre-vingt-onze étudiants.
17. Il y a quatre-vingt-dix-neuf exercices.
18. Il y a vingt fenêtres.
19. Il y a vingt et un soldats.
20. Il y a vingt-deux professeurs.
21. Il y a trente chats.
22. Il y a trente et une pommes.
23. Il y a trente-deux crayons.
24. Il y a deux cents timbres.
25. Il y a deux cent cinq crayons.

Exercice 2.
1. Non, c'est le quatrième.
2. Non, c'est la neuvième.
3. Non, c'est la dix-septième.
4. Non, c'est la vingt et unième.
5. Non, c'est le deuxième.
6. Non, c'est le quatrième.
7. Non, c'est le cinquième.
8. Non, c'est le centième.
9. Non, c'est le neuvième.
10. Non, c'est à la vingt et unième.

Exercice 3.
1. On célèbre Noël le vingt-cinq décembre.
2. Henri Huit épousa Catherine d'Aragon.
3. Je veux une douzaine d'oranges.
4. Il sera absent pendant trois quarts d'heure.

5. Nous partons à neuf heures et demie.
6. Nous stationnons ici pour une demi-heure.
7. Il étudie la première leçon.
8. Il reviendra dans une dizaine de jours.
9. Il y reste un tiers d'oranges. (Il y en reste un tiers.)
10. La guerre éclata en dix-neuf cent trente-neuf.
11. On célébra le centenaire en dix-neuf cent soixante-sept.
12. Dix-sept cent cinquante-cinq est une date importante dans l'histoire de l'Acadie.

Unit 7

Exercice 1.
1. Oui, j'ai trois chapeaux.
2. Oui, je connais plusieurs généraux.
3. Oui, je vois deux chevaux.
4. Oui, ce sont les principales conclusions de son étude.
5. Oui, il y a plusieurs Français au Ministère.
6. Oui, nous avons deux chandails.
7. Oui, je lis plusieurs journaux tous les soirs.
8. Oui, j'écris deux examens finals chaque semestre.
9. Oui, j'ai plusieurs stylos bleus.
10. Oui, il a quatre pneus Michelin.
11. Oui, toutes ses décisions sont finales.
12. Oui, je veux une douzaine de clous.
13. Oui, j'ai assisté à deux carnavals.
14. Oui, elle désire plusieurs bijoux.

Exercice 2.
1. Les deux chevaux tirent la voiture.
2. Au printemps les oiseaux bâtissent leurs nids.
3. Sès trois sœurs l'attendent.
4. Je viens de recevoir un plat de noix.
5. Les Melanson ont six enfants au collège.
6. Luc et Jean sont mes neveux du côté maternel.
7. Joseph plante des choux chaque année.
8. Les cheveux de Marie sont très lisses.
9. Les beaux soirs d'été nous nous promenons.
10. Les étudiants américains reviennent de Paris.
11. Nous avons besoin de nouveaux livres.
12. Nous allons avoir des détails intéressants.
13. Tous les bijoux ont été enlevés.
14. Jacqueline préfère les chandails rouges.
15. Emile lit ses journaux chaque soir.

Exercice 3.
1. Il regarde tous les poissons.
2. Vous remporterez toutes les victoires.
3. Je reconnais tout le travail.
4. Elle veut tout le café.
5. Nous faisons tous les devoirs.
6. Je désire tout l'argent.
7. Nous chanterons tout l'opéra.
8. Il attend tous (toutes) les artistes.
9. Il présentera les médailles à tous les vainqueurs.
10. Il prépare le concert avec toute la troupe.

Unit 8

Exercice 1.
1. Mais elle, elle n'est pas paresseuse.
2. Et ma chemise aussi est neuve.
3. Et cette histoire aussi est fausse.
4. Et sa femme aussi est muette.
5. Oui, c'est un bel homme.
6. Et cette étudiante aussi est très intelligente.
7. Oui, et c'est aussi ma première leçon.
8. Mais sa femme aussi est jalouse.

9. Et quelle belle soirée!
10. Et cette truite est fraîche aussi?
11. Oui, et c'est aussi une belle histoire.
12. C'est vraiment une température douce.
13. Oui, et sa femme aussi est grecque.
14. Et sa femme aussi est une ancienne élève de la même école.
15. Et elle, c'est sans doute l'étudiante favorite de la classe.

Exercice 2.
1. Et Françoise aussi est heureuse.
2. Cette jeune fille aussi est gentille.
3. Et cette nappe aussi est ronde.
4. Et cette dame aussi est grosse.
5. Et mon grand-père aussi est vieux.
6. Jeanne aussi est canadienne.
7. Et la chienne aussi est noire.
8. Et sa femme aussi est très active.
9. Et ton cher oncle aussi, j'espère.
10. Mais la porte n'est pas encore sèche.

Unit 9

Exercice 1.
1. Oui, c'est ma vieille grand-mère.
2. Oui, c'est mon cher oncle.
3. Oui, c'est une bonne étudiante.
4. Oui, c'est ma voiture favorite.
5. Oui, c'est ma seule fille.
6. Oui, c'est une bonne actrice.
7. Oui, c'est un cruel crime. (crime cruel)
8. Non, c'est une lettre muette.
9. Oui, c'était un bel acteur.
10. Oui, c'est notre amie grecque.

Exercice 2.
1. Il chante une belle chanson.
2. Nous cherchons un garçon intelligent.
3. Nous voyons un vilain brigand.
4. J'ai une maison propre.
5. Nous avons suivi la grande route.
6. Je n'aime pas la petite auto.
7. Nous avons votre nouvelle adresse.
8. Oui, c'est un bel homme.
9. Il fait mauvais.
10. Non, je ne connais pas cette ville espagnole.

Exercice 3.
1. Oui, j'ai un livre intéressant.
2. Oui, nous reconnaissons ce garçon américain.
3. Oui, il écrit à son vieil ami.
4. Oui, je vois le méchant chat.
5. Oui, nous buvons de l'eau froide.
6. Oui, il a un cahier neuf.
7. Oui, nous nous rappelons la grosse tempête.
8. Oui, je vais au grand banquet.
9. Oui, nous avons besoin d'un jeune acteur.
10. Oui, il admire le bon professeur.

Exercice 4.
1. Oui, c'est une mauvaise nouvelle.
2. Oui, c'est une jeune actrice.
3. Oui, c'est un matador mexicain.
4. Oui, ce sont des pages propres.
5. Oui, c'est une femme tranquille.
6. Oui, ce sont des amies françaises.
7. Oui, c'est un grand tour.
8. Oui, c'est un très habile artiste.
9. Oui, c'est un long chemin.
10. Oui, ce sont de gentilles étudiantes. (des étudiantes gentilles)

Exercice 5.
1. On annonce une brise légère.
2. Il portera son chapeau neuf.
3. Non, c'est une vieille coutume.
4. Oui, ils signeront une nouvelle entente.
5. Oui, vous y resterez pendant une année complète.
6. Oui, c'est un bon acteur.
7. Non, elle est active.
8. Oui, Halifax entretient un jardin public.
9. Non, c'est le plus jeune de la famille.
10. Pour la dernière fois, j'espère.

Test
1. Oui, nous lisons les journaux après le dîner.
2. Oui, je vois tous (toutes) les enfants.
3. Oui, elle prépare ses derniers examens.
4. Oui, j'écris à mon cher père.
5. Oui, nous regardons le bel arbre.
6. Bien sûr, nous travaillons pendant toute la journée.
7. Oui, il parle à un vieil ami.
8. Oui, elle va à deux bals cette semaine.
9. Oui, c'est le drapeau français.
10. Oui, il a un chat noir.
11. Oui, c'est mon stylo favori.
12. Oui, je lis un livre intéressant.
13. Oui, il aime les pommes fraîches.
14. Oui, elle aime le thé chaud.
15. Oui, j'ai vu ses cheveux blancs.
16. Oui, elles commencent le premier janvier.
17. Oui, c'est un soldat anglais.
18. Mais c'est une longue histoire.
19. Bien sûr, c'est la dernière édition française.
20. Non, je n'aime pas les examens finals.
21. Oui, c'est une jeune fille active.
22. Oui, j'aime la glace italienne.
23. Oui, c'est un jardin public.
24. Oui, c'est une grande porte rouge.
25. Bien sûr, nous allons abattre cette vieille chienne enragée.

Unit 10

Exercice 1.
1. Voilà Jeanne.
2. Voilà le garçon.
3. Voilà le professeur.
4. Voilà l'étudiant.
5. Voilà la photo.
6. Voilà la jeune fille.
7. Voilà la bicyclette.
8. Voilà le peigne.
9. Voilà le pommier.
10. Voilà le billet.

Exercice 2.
1. Il y a des livres dans le pupitre.
2. Il y a du sucre dans le café.
3. Il y a des mouchoirs dans ce tiroir.
4. Il y a des légumes dans cette soupe.
5. Il y a des bonbons dans cette boîte.

Exercice 3.
1. Il y a six mois que nous l'avons vu.
2. Il y a deux ans que nous sommes allés en France.
3. Il y a deux jours que je suis venu à Montréal.
4. Il y a deux heures que nous sommes sortis.
5. Il y a cinq ans que nous l'avons vu.

Exercice 4.
1. Oui, il y a une jeune fille dans cette classe.

2. Oui, il y a des Français ici.
3. Oui, il y a congé demain.
4. Non, il n'y a pas de travail à faire.
5. Non, il n'y a pas de sucre dans ce café.

Unit 11

Exercice 1.
1. Oui, nous l'avons mangé.
2. Oui, nous le voyons.
3. Oui, je les veux.
4. Oui, tu l'interprètes bien.
5. Oui, ils les apportent.
6. Oui, il le sert.
7. Oui, nous l'attendons.
8. Oui, ils l'achètent.
9. Oui, il les lave.
10. Oui, nous la vendons.
11. Oui, nous les enlevons.
12. Oui, je la dessine.
13. Oui, je les achète.
14. Oui, nous les voulons.
15. Oui, nous l'aimons.

Exercice 2.
1. Oui, j'y viens.
2. Oui, j'y cours.
3. Oui, il y va.
4. Oui, ils y étudient.
5. Oui, nous y allons.
6. Oui, il y va.
7. Oui, tu peux y aller.
8. Oui, j'y vais.
9. Oui, nous y allons.
10. Oui, il s'y arrête.
11. Oui, j'y reste.
12. Oui, elle y vient.
13. Oui, nous l'y invitons.
14. Oui, il vous y attend.
15. Oui, j'y vais.

Exercice 3.
1. Non, elle n'en arrive pas.
2. Non, nous n'en avons pas assez.
3. Non, je n'en suis pas sorti.
4. Non, nous n'en avons pas.
5. Non, ils n'en arrivent pas.
6. Non, il n'en revient pas.
7. Non, je n'en veux pas.
8. Non, elle n'en revient pas.
9. Non, je n'en mange pas.
10. Non, nous n'en voulons pas.

Exercice 4.
1. Oui, nous y allons.
2. Oui, ils y vont.
3. Oui, j'en suis content.
4. Non, nous n'en avons pas.
5. Oui, elle y va.
6. Oui, elle en revient.
7. Oui, nous y allons.
8. Oui, j'y pense.
9. Non, elle n'en veut pas.
10. Non, je n'en viens pas.
11. Oui, nous y déjeunons souvent.
12. Non, je n'en ai pas.
13. Oui, nous allons y rester.
14. Oui, nous en mangeons.
14. Oui, nous pouvons vous en donner.

Exercice 5.
1. Oui, donnez-nous en.
2. Oui, donne-m'en.
3. Non, il ne m'en donne pas.
4. Non, il ne lui en raconte pas.
5. Oui, je peux vous le vendre.
6. Oui, elle s'en achète une.
7. Oui, donnez-les-lui.
8. Oui, il le lui présente.
9. Non, nous ne le leur donnons pas.
10. Oui, elle la lui offre.

Exercice 6.
1. Bien sûr, il la lui demande.
2. Oui, il le lui donne.
3. Oui, elle le leur montre.
4. Bien sûr, je te la rapporte.
5. Mais oui, nous les leur donnons.
6. Oui, il leur en offre.
7. Oui, il me le rappelle.
8. Evidemment, il y en a.
9. Oui, je le lui prête.
10. Bien sûr, nous nous la rappelons.

Unit 12

Exercice 1.
1. Oui, il ira avec lui.
2. Oui, il vient après eux.
3. Oui, ce sont eux.
4. Oui, je pense à elle.
5. Oui, je suis plus âgé qu'elle.
6. Oui, il est plus grand que moi.
7. Oui, ce sont elles.
8. Oui, c'est elle.
9. Oui, c'est elle.
10. Oui, c'est lui.
11. Oui, c'est lui.
12. Oui, nous parlons de lui.
13. Oui, ce sont eux.
14. Oui, nous allons chez lui.
15. Oui, j'y vais avec elles.

Exercice 2.
1. Pour lui.
2. Lui. (C'est lui.)
3. Elle. (C'est elle.)
4. A eux.
5. Chez elle.
6. Sans elle.
7. Ce sont elles.
8. Lui. (C'est lui.)
9. Eux. (Ce sont eux.)
10. Avec lui.
11. Elle. (C'est elle.)
12. Moi. (C'est moi.)
13. Pour eux.
14. Avec elles.
15. Elle. (C'est elle.)

Exercice 3.
1. Bien sûr, ils retournent chez eux.
2. Bien sûr, tu leur demandes de venir.
3. Evidemment, il lui donne de l'argent.
4. Bien sûr, vous irez chez elle demain.
5. Apparemment, ils n'en ont pas.
6. Bon, ils jouent avec eux.
7. Bien sûr, ils l'admirent.
8. Bien sûr, disons-lui merci.
9. Bien sûr, mettons-les dans le vase.
10. Evidemment, tu voyageras avec eux.
11. Bon, c'est elle qui vous appelle.
12. Bien sûr, je ne leur parle jamais.

Test

Exercice 1.
1. Bien sûr, je la regarde.
2. Bien sûr, il la voit.
3. Bien sûr, il les voit.
4. Bien sûr, il l'écoute.
5. Bien sûr, elles en prennent.
6. Bien sûr, je les ouvre.
7. Bien sûr, ils en voient.
8. Bien sûr, elles les écoutent.
9. Bien sûr, j'en fais.
10. Bien sûr, je le vois.
1. Evidemment, il lui parle.
2. Evidemment, elle le lui donne.
3. Evidemment, elle les lui donne.
4. Evidemment, ils leur parlent.
5. Evidemment, elle vous les rend.
6. Evidemment, il le lui présente.
7. Evidemment, elle les leur offre.
8. Evidemment, il le prend.
9. Evidemment, il la lui donne.
10. Evidemment, il te le donne.

Exercice 2.
1. Ah bon, tu la lui racontes.
2. Ah bon, vous me le donnez.
3. Ah bon, vous me le montrez.
4. Ah bon, il y en a ici.

5. Ah bon, vous les leur donnez.
6. Ah bon, ils vous en prêtent.
7. Ah bon, il vous les donne.
8. Ah bon, nous ne les leur vendons pas.
   Ah bon, je ne les leur vends pas.
9. Ah bon, vous lui en donnez.
10. Ah bon, elle vous en envoie.
11. Ah bon, Jean vous le donne.
12. Ah bon, François le lui prête.
13. Ah bon, elle les leur rend.
14. Ah bon, il t'en envoie.
15. Ah bon, elle leur en envoie.
16. Ah bon, vous les leur montrez.
17. Ah bon, vous lui en donnez.
18. Ah bon, tu m'en donnes.
19. Ah bon, tu ne lui en prêtes plus.
20. Ah bon, nous ne le lui montrons pas.
    Ah bon, je ne le lui montre pas.

Unit 13

Exercice 1.
1. Qui frappe la balle?
   Qui est-ce qui frappe la balle?
2. Que mange Robert?
   Qu'est-ce que Robert mange?
3. Qui marche sur le gazon?
   Qui est-ce qui marche sur le gazon?
4. Qu'avez-vous vu?
   Qu'est-ce que vous avez vu?
5. A qui parlez-vous?
   A qui est-ce que vous parlez?
6. A quoi penses-tu?
   A quoi est-ce que tu penses?
7. Qui demande une permission?
   Qui est-ce qui demande une permission?
8. Qui se baigne dans l'eau froide?
   Qui est-ce qui se baigne dans l'eau froide?
9. Que regardes-tu souvent?
   Qu'est-ce que tu regardes souvent?
10. Que demandes-tu à Joseph?
    Qu'est-ce que tu demandes à Joseph?

Exercice 2.
1. Quel	6. Quelle	11. Quel
2. Quelles	7. Quel	12. Quels
3. Quelles	8. quelle	13. Quel
4. Quels	9. quelle	14. Quelles
5. Quels	10. Quelle	15. Quels

Exercice 3.
1. Lequel aimons-nous davantage?
   Oui, lequel?
2. A laquelle présente-t-il un cadeau?
   Oui, à laquelle?
3. Duquel parlons-nous?
   Oui, duquel?
4. Auxquels donne-t-il une récompense?
   Oui, auxquels?
5. Desquelles s'agit-il?
   Oui, desquelles?
6. A laquelle allons-nous?
   Oui, à laquelle?
7. Dans laquelle habitons-nous?
   Oui, dans laquelle?
8. Lequel préférons-nous?
   Oui, lequel?

9. Lesquelles ont-ils étudiées?
   Oui, lesquelles?
10. Lequel gagnera la course?
    Oui, lequel?

Exercice 4.
1. Laquelle préfères-tu?	6. Laquelle préfères-tu?
2. Lequel préfères-tu?	7. Lequel préfères-tu?
3. Lequel préfères-tu?	8. Laquelle préfères-tu?
4. Lequel préfères-tu?	9. Laquelle préfères-tu?
5. Laquelle préfères-tu?	10. Lequel préfères-tu?

Test

Exercice 1.
1. Qui étudie l'anglais?
2. Qui travaille fort?
3. Qu'étudie-t-il?
4. Qui mange des gâteaux?
5. Que boit-elle?
6. A qui parle-t-elle?
7. De qui parle-t-il?
8. De qui parlez-vous?
9. De laquelle parle-t-il?
10. A laquelle parlent-ils?
11. De quoi parle-t-il?
12. A quoi pense-t-elle?
13. Duquel parle-t-il?
14. Par laquelle sort-elle?
15. A quoi pense-t-il?

Exercice 2.
1. Quels amis?	6. Quelle ville?
2. Quel chapeau?	7. Quel stylo?
3. Quelle école?	8. Quels chapeaux?
4. Quelles jeunes filles?	9. A quelle heure?
5. Quels stylos?	10. quel courage!

Unit 14

Exercice 1.
1. Ce trésor.	11. A cette famille.
2. Ce livre.	12. A cet athlète.
3. Ces acteurs.	13. Cet homme.
4. Ces chemises.	14. Ces cadeaux.
5. Ce manteau.	15. Cette victoire.
6. Ces pinceaux.	16. Par ces chemins.
7. Cet argent.	17. Ce soir.
8. Cette cousine.	18. Ce livre.
9. Cette viande.	19. Cette corbeille.
10. Ce passage.	20. Cet arbre.

Unit 15

Exercice 1.
1. Non, c'est celle de mon ami.
2. Non, c'est celui de mon frère.
3. Non, c'est celui de l'autre voyageur.
4. Non, ce sont ceux de mes enfants.
5. Non, c'est celui de mon professeur.
6. Non, ce sont ceux des visiteurs.
7. Non, ce sont ceux des autres étudiants.
8. Non, c'est celle du voyageur américain.
9. Non, c'est celle de Jeanne.
10. Non, ce sont ceux de Jacques.

Exercice 2.
1. Non, mais nous désirons celui-là.
2. Non, mais nous voulons celles-là.
3. Non, mais nous préférons celle-là.
4. Non, mais nous connaissons celle-là.
5. Non, mais nous savons celui-là.
6. Non, mais nous occupons celle-là.
7. Non, mais nous admirons celles-là.
8. Non, mais nous voulons celui-là.

Test

Exercice 1.
1. Oui, ceux qui sont français.
2. Oui, celui qui est sur la table.
3. Oui, celui que vous avez.
4. Oui, celui qui est encore au magasin.
5. Oui, celui qui est gris.
6. Oui, ceux qui sont intéressants.
7. Oui, celles qui sont intéressantes.
8. Oui, celui qui est français.
9. Oui, celle qui est neuve.
10. Oui, celui qui est neuf.

Exercice 2.
1. Tu préfères celles qui sont absentes?
2. Il aime cela; pas ceci?
3. Tu trouves que cette jeune fille chante bien?
4. Tu trouves ce livre intéressant?
5. Il aime celle qui est intelligente?
6. On dit que ce que nous disons est vrai?
7. C'est cela?
8. Il dit que cette fleur est fraîche?
9. Il préfère ceci?
10. Ils aiment mieux celles qui sont charmantes?

Unit 16

Exercice 1.
1. Mais c'est son chien.
2. Mais c'est son chat.
3. Mais c'est sa robe.
4. Mais c'est son appartement.
5. Mais c'est sa cravate.

Exercice 2.
1. Non, c'est leur sœur.
2. Non, c'est leur auto.
3. Non, ce sont leurs amis.
4. Non, c'est leur argent.
5. Non, ce sont leurs bagages.

Exercice 3.
1. Non, ce sont ses pantalons à lui.
2. Oui, c'est mon cahier à moi.
3. Non, c'est notre professeur à nous.
4. Non, c'est sa soupe à elle.
5. Non, ce sont mes gants à moi.
6. Oui, c'est son grand-père à elle.
7. Non, c'est ma bicyclette à moi.
8. Oui, ce sont leurs billets à eux.
9. Non, ce sont leurs bijoux à elles.
10. Oui, c'est mon chèque à moi.

Exercice 4.
1. C'est son chapeau à elle.
2. C'est leur gâteau à eux.
3. Ce sont nos bonbons à nous.
4. Ce sont mes histoires à moi.
5. C'est sa femme à lui.
6. C'est sa voiture à lui.
7. C'est sont oncle à elle.
8. C'est notre chambre à nous.
9. Ce sont ses bijoux à elle.
10. C'est sa carte à lui.

Unit 17

Exercice 1.
1. Ce sont les miennes.
2. C'est la sienne.
3. Ce sont les leurs.
4. C'est le sien.
5. Ce sont les siennes.
6. Ce sont les nôtres.
7. C'est la sienne.
8. C'est le tien.
9. Ce sont les leurs.
10. C'est la nôtre.

Exercice 2.
1. Oui, les miennes sont difficiles.
2. Oui, les miens sont prêts.

3. Oui, le sien est médecin.
4. Oui, les leurs sont riches.
5. Oui, le mien a des images.
6. Oui, le vôtre est plus agréable.
7. Oui, les nôtres sont guéris.
8. Oui, la sienne est rouge.
9. Oui, les leurs sont terminés.
10. Oui, les siens me plaisent.

Unit 18

Exercice 1.
1. Je vois la terre qu'il laboure.
2. Je vois la ferme qui s'agrandit.
3. Je vois l'habit que vous désirez.
4. Je vois le bateau qui s'avance.
5. Je vois la montre qu'elle porte.
6. Je vois le fruit que vous avez cueilli.
7. Je vois le général que vous admirez.
8. Je vois le garage qu'il achève.
9. Je vois la pilule qu'il avalera.
10. Je vois le pourboire que tu donnes.

Exercice 2.
1. C'est l'auteur dont je vous parlais.
2. Ce sont les aventures que je vous raconte.
3. C'est le chandail qu'il veut.
4. Ce sont les chants que vous écoutez.
5. Ce sont les voitures dont je vous parle.
6. C'est la dame chez qui (laquelle) elle demeure.
7. C'est le pays que j'ai visité.
8. C'est la robe dont je parlais.
9. C'est l'hôtel où je préfère loger.
10. Ce sont ceux que vous avez passés.

Exercice 3.
1. Duquel parle-t-il?
2. Sur laquelle montez-vous?
3. Par laquelle rentrerez-vous?
4. Par laquelle arrive-t-il?
5. Desquels parlions-nous?
6. Sur lequel traverserez-vous?
7. Desquelles rêve-t-il?
8. Par lequel doit-il passer?
9. De qui (Desquelles) a-t-il hérité?
10. Par lesquels réussirez-vous?

Exercice 4.
1. Je ne sais pas ce que je cherche.
2. Je ne sais pas ce que je vois.
3. Vous ne savez pas ce que vous faites.
4. Nous ne savons pas ce que nous désirons.
5. Je ne sais pas ce qu'il achètera.
6. Nous ne savons pas ce qui est bon.
7. Je ne sais pas ce qui sera raisonnable.
8. Je ne sais pas ce qu'il vaut mieux faire.
9. Je ne sais pas ce qui se passe.
10. Nous ne savons pas ce que nous faisons.

Exercice 5.
1. Voici ce dont nous avons besoin.
2. Vous rappelez-vous ce que je vous ai appris.
3. Pensez tous à ce que vous faites.
4. Travailler davantage est ce qui compte.
5. Je ne me rappelle plus ce dont nous avions peur.
6. Ce qui est bon pour moi est bon pour toi.

Test

Exercice 1.
1. C'est sa mère.
2. C'est son professeur.
3. Ce sont ses tantes.
4. Ce sont ses cousins.
5. C'est son petit frère.

Exercice 2.
1. Non, ce n'est pas notre (mon) chien.
2. Non, ce n'est pas ma femme.
3. Non, ce ne sont pas nos (mes) livres.
4. Non, ce n'est pas ma montre.
5. Non, ce ne sont pas vos amis.

Exercice 3.
1. C'est la sienne.   4. C'est le mien.
2. C'est le sien.   5. Ce sont les leurs.
3. Ce sont les siennes.

Exercice 4.
1. Oui, c'est le mien.   4. Oui, c'est le leur.
2. Oui, c'est la mienne.   5. Oui, ce sont les siens.
3. Oui, c'est la nôtre.

Exercice 5.
1. Je vois le chandail qu'il porte souvent.
2. Je vois l'orange que vous désirez.
3. Je vois un ami qui arrive là-bas.
4. Je vois le cheval qui court vite.
5. Je vois la lettre qu'il a écrite à sa mère.
6. Je vois le chandail qu'elle préfère.
7. Je vois les journaux que nous avons lus.
8. Je vois l'ami que tu aimes.
9. Je vois l'étudiant qui travaille fort.
10. Je vois la peinture que vous admirez.

Exercice 6.
1. Celui qui passe.
2. Celui qui est sur la table.
3. Celle à qui j'ai donné le cadeau.
4. Celui avec lequel tu viens d'écrire.
5. Celle où se trouve sa maison.
6. A celles qui me seront posées.
7. De celui qui est paresseux.
8. Celui que tu as déjà vu hier.
9. Celui avec qui je travaille.
10. Ceux qui ont gagné les prix.

Unit 19

Exercice 1.
1. Je l'ai vu hier.
2. Elle chante bien.
3. Je l'ai complètement oublié.
4. Il marche vite.
5. Nous le connaissions autrefois.
6. Elle l'a vu ailleurs.
7. Ils se sont bien défendus.
8. J'ai certainement dit cela.
9. Je voudrais bien faire une promenade.
10. Je l'ai vu dehors.

Exercice 2.
1. Elle a marché vite.
2. Elle, elle marche lentement.
3. Il faisait chaud en Louisiane.
4. Oui, ça coûte cher.
5. Je l'ai vraiment aimé.
6. Non, il n'a pas parfaitement compris.
7. Non, nous parlons peu.
8. Ils aiment énormément patiner.
9. Non, il parle vite.
10. Je l'ai vu autrefois.

Exercice 3.
1. intelligemment.   3. sérieusement.
2. ardemment.   4. sévèrement.

5. drôlement.   8. courageusement.
6. lentement.   9. cruellement.
7. poliment.   10. doucement.

Exercice 4.
1. Oui, il parle (facilement) anglais (facilement).
2. Oui, elle est absolument heureuse.
3. Oui, nous aimons (énormément) danser (énormément).
4. Oui, il neigeait légèrement hier soir.
5. Oui, c'est précisément ce que tu lui as dit.
6. Oui, nous allons (fréquemment) au théâtre (fréquemment).
7. Oui, nous marchons lentement.
8. Oui, nous pouvons (facilement) faire ce travail (facilement).
9. Non, il n'est pas gravement malade.
10. Non, je n'irai certainement pas.
11. Non, il n'étudie pas suffisamment.
12. Oui, il refuse poliment de le faire.
13. Oui, elles étudient constamment.
14. Non, je ne l'ai pas vu dernièrement.
15. Non, je fais cela autrement.

Test

Exercice 1.
1. Oui, elle est gravement malade.
2. Oui, je parle (facilement) français (facilement).
3. Oui, elle parle constamment.
4. Oui, il travaille ardemment.
5. Oui, elle se défend courageusement.
6. Oui, c'est précisément ce que j'ai fait.
7. Oui, il l'a vu dernièrement.
8. Oui, il pleut légèrement.
9. Oui, il l'a grondé sévèrement.
10. Oui, nous y allons présentement.

Exercice 2.
1. Oui, elle marche dignement.
2. Non, il parle doucement.
3. Non, elle court lentement.
4. Oui, elle s'habille élégamment.
5. Oui, je peux le faire aisément.
6. Oui, je l'aime énormément.
7. Oui, il y va présentement.
8. Oui, ils parlent constamment.
9. Oui, elle réussit facilement.
10. Non, il pleut légèrement.

Unit 20

Exercice 1.
1. Il est plus riche que Maurice.
2. Lui aussi, il est plus riche que Maurice.
3. Elle aussi, elle est plus riche que Maurice.
4. Moi aussi, je suis plus riche que Maurice.
5. Elle est plus heureuse que Jeanne.
6. Lui aussi, il est plus heureux que Jeanne.
7. Toi aussi, tu es plus heureux (heureuse) que Jeanne.
8. Moi, je suis plus grand(e) que le professeur.
9. Lui aussi, il est plus grand que le professeur.
10. Elle aussi, elle est plus grande que le professeur.
11. Il est plus paresseux que Jean.
12. Lui aussi, il est plus paresseux que Jean.
13. Eux aussi, ils sont plus paresseux que Jean.
14. Elle est plus gentille que Louise.
15. Elles aussi, elles sont plus gentilles que Louise.
16. Elle aussi, elle est plus gentille que Louise.

232

Exercice 2.
1. Le bébé est plus petit que François.
2. Son chandail est plus beau que sa robe.
3. Les Français sont plus artistiques que les Italiens.
4. Les romans sont plus intéressants que les contes.
5. Ces dames-là sont plus jeunes que ces dames-ci.
6. La crème coûte plus cher que le lait.
7. Sa sœur est plus grande que Marie.
8. Les Alpes sont plus hautes que les Rocheuses.
9. Le miel est plus sucré que la confiture.
10. Les vacances d'été sont plus longues que les vacances de Noël.

Exercice 3.
1. Elle est moins vieille que ton père.
2. Il est moins intéressant que le cinéma.
3. Il est moins jeune que Louise.
4. Il est moins sauvage que le tigre.
5. Elles sont moins faciles que les langues.
6. Il est moins gros que le chien.
7. Elle est moins grande que le soleil.
8. Ils sont moins spirituels que les Français.
9. Elle est moins dangereuse que cette route-là.
10. Il est moins beau que l'été.

Exercice 4.
1. Non, il est aussi grand que Marie.
2. Non, elle est aussi intelligente que Jeanne.
3. Non, tu es aussi fort que François.
4. Non, elle est aussi haute que celle-là.
5. Non, elle est aussi heureuse que son amie.
6. Non, il est aussi sévère que le tien.
7. Non, il est aussi capable que son frère.
8. Non, il est aussi gentil que son cousin.
9. Non, il est aussi grand que l'école élémentaire.
10. Non, il est aussi intéressant que le théâtre.

Exercice 5.
1. Oui, vraiment c'est la plus grande ville du Canada.
2. Oui, vraiment c'est la plus belle fille du village.
3. Oui, vraiment c'est le plus petit étudiant de notre école.
4. Oui, vraiment c'est le meilleur restaurant de la ville.
5. Oui, vraiment c'est l'étudiant le plus intelligent de notre classe.
6. Oui, vraiment c'est la plus belle ville d'Europe.
7. Oui, vraiment c'est le plus grand Premier Ministre de notre siècle.
8. Oui, vraiment c'est le pire (plus mauvais) livre.
9. Oui, vraiment c'est le plus fameux médecin de la ville.
10. Oui, vraiment c'est le meilleur joueur de tennis.

Exercice 6.
1. Alphonse étudie plus souvent que Lionel.
2. André marche plus lentement que toi.
3. Anne chante mieux que Margot.
4. Elle, elle mange plus tard que Jeanne.
5. Louis mange plus que toi.
6. Toi, tu conduis plus lentement que Médéric.
7. Lui, il chante plus mal (pire) que nous.
8. Lui, il y va plus souvent que toi.
9. Elle, elle lit mieux que nous.
10. Elles, elles agissent plus drôlement que lui.

Exercice 7.
1. Lui, il marche plus vite que Jeanne.
   Mais parfois, il marche moins vite que Jeanne.
2. Nous, nous étudions aussi souvent qu'elles.
   Mais parfois, nous étudions moins souvent qu'elles.

3. Elle, elle marche aussi lentement qu'Albert.
   Mais parfois, elle marche moins lentement qu'Albert.
4. Toi, tu parles aussi fort qu'eux.
   Mais parfois, tu parles moins fort qu'eux.
5. Moi, je mange aussi bien que toi.
   Mais parfois, je mange moins bien que toi.
6. Lui, il chante aussi mal que toi.
   Mais parfois, il chante moins mal que toi.
7. Vous, vous mangez aussi tard qu'eux.
   Mais parfois, vous mangez moins tard qu'eux.
8. Elle, elle agit aussi drôlement que lui.
   Mais parfois, elle agit moins drôlement que lui.
9. Lui, il travaille aussi peu que Louis.
   Mais parfois, il travaille moins que Louis.
10. Lui, il voyage aussi souvent que toi.
   Mais parfois, il voyage moins souvent que toi.
11. Elle, elle travaille aussi bien que lui.
   Mais parfois, elle travaille moins bien que lui.
12. Toi, tu apprends aussi facilement que Jean.
   Mais parfois, tu apprends moins facilement que Jean.
13. Eux, ils y vont aussi souvent que les Canadiens.
   Mais parfois, ils y vont moins souvent que les Canadiens.
14. Elle, elle se porte aussi mal que lui.
   Mais parfois, elle se porte moins mal que lui.
15. Eux, ils lisent aussi bien qu'elles.
   Mais parfois, ils lisent moins bien qu'elles.

Exercice 8.
1. Celles-là, elles dansent le plus mal.
2. Les Anglais y vont le plus souvent.
3. Vous, vous mangez le plus.
4. Eux, ils s'amusent le mieux.
5. Elles, elles marchent le plus lentement.
6. Elle, elle en a le moins.
7. Alexandre parle le plus vite.
8. Ses enfants en veulent le plus.

Exercice 9.
1. Il commence à marcher de plus en plus chaque jour.
2. Elle parle de moins en moins chaque année.
3. Plus il parle, moins elle écoute.
4. Plus elle travaille, plus elle veut travailler.
5. Il lit de mieux en mieux chaque jour.

Test

Exercice 1.
1. Elle, elle est plus grande que lui.
2. Lui, il parle plus lentement que François.
3. Elle, elle est plus heureuse que Jean.
4. Lui, il est plus petit que Jacques.
5. Elle, elle vient plus souvent que François.
6. Eux, ils lisent mieux qu'elles.
7. Nous, nous voyageons plus souvent que vous.
8. Elle, elle parle plus vite que lui.
9. Elle, elle chante mieux qu'eux.
10. Le mien est plus sévère que le tien (ton père).

Exercice 2.
1. Celui-ci, c'est le plus joli de tous les oiseaux.
2. Elle, c'est la plus jeune de toutes les filles.
3. Lui, c'est le plus heureux de tous les hommes.
4. Lui, il y va le plus souvent de tous les étudiants.
5. Cette page, c'est la plus propre de toutes les pages.

Exercice 3.
1. Il travaille de plus en plus.
2. Elle travaille de moins en moins.

3. Plus il travaille, plus il réussit.
4. Plus il la voit, plus il l'aime.
5. Plus elle le voit, moins elle l'aime.

Unit 21

Exercice 1.
1. Mais non, je ne suis pas étudiant.
2. Mais non, nous ne ferons point cela.
3. Mais non, il ne l'a pas vu.
4. Mais non, elle ne sort guère en hiver.
5. Mais non, nous ne leur montrons pas le menu.
6. Mais non, il ne travaille plus pendant les vacances.
7. Mais non, elle ne voit ni n'entend ce qui se passe.
8. Mais non, ils n'entendent pas le son des cloches.
9. Mais non, nous n'avons vu personne arriver.
10. Mais non, ils ne voient rien.
11. Mais non, elles ne viennent jamais chez toi (vous).
12. Mais non, tu n'iras point demain.
13. Mais non, ils ne sont plus allés à l'école.
14. Mais non, il n'a que dix-sept ans.
15. Mais non, il n'aime ni les mathématiques ni les sciences.

Exercice 2.
1. Personne n'écoute.
2. Il n'écoute personne.
3. Elle ne parle jamais.
4. Il n'y va pas.
5. Il ne va guère à l'école.
6. Il n'aime ni le lait ni la crème.
7. Elle ne sait ni lire ni écrire.
8. Je ne vois rien.
9. Dites-lui de ne pas venir.
10. Parlez-vous espagnol? Jamais.
11. Aucun train ne viendra ce soir.
12. Je ne demande à personne.
13. Personne ne me demande.
14. Elle n'a rien vu.
15. Il a dit de ne pas travailler.
16. Qu'est-ce qu'il y a? Rien.
17. Je ne peux pas venir cet après-midi.
18. Ils n'ont pas de garçons.

Test

Exercice 1.
1. Rien.
2. Personne.
3. Jamais.
4. Pas encore.
5. Aucune.
6. Jamais. (Pas encore.)
7. Rien.
8. Rien.
9. Pas encore.
10. Jamais.

Exercice 2.
1. Je ne vois personne.
2. Personne ne me voit.
3. Ils n'ont rien vu.
4. Parlez-vous allemand? Jamais.
5. Il ne la voit pas.
6. Elle ne le voit jamais.
7. Ils ne le voient guère.
8. Elle ne voit que lui.
9. Vous ne parlez pas français? Si, je parle français.
   Tu ne parles pas français? Si, je parle français.
10. Dites-lui (Dis-lui) de ne pas parler.

Unit 22

Exercice 1.
1. Je vais chez le médecin.
2. Il va au restaurant.

3. Nous allons au cinéma.
4. Ils vont à la plage.
5. Il revient de Paris.
6. Oui, il a cessé de travailler.
7. Ils s'amusent dans la cour.
8. Je vais à l'église.
9. Vous êtes dans la salle de classe.
10. Elle est entrée avec ses amis.
11. Je les mets dans la valise.
12. Elles viennent avec Aline.
13. Je veux le couteau à pain.
14. Il arrive après le dîner.
15. Je désire du café au lait.

Exercice 2.
1. J'apprends à lire.
2. Il vous invite à dîner.
3. Il arrive dans quinze minutes.
4. Je te prie de m'accompagner.
5. Il fait chaud en été.
6. Il pleut souvent au printemps.
7. Je pleure de joie.
8. J'ai trouvé le livre de Jean.
9. Il va à l'école avec Jean.
10. Il a vingt ans.
11. Il agit toujours de cette façon.
12. Je vais chez le dentiste.
13. Elle est couverte de neige.
14. Il est né en dix-neuf cent dix-huit.
15. Il a vingt mètres de large.

Exercice 3.
1. Tu iras au bal pendant la soirée.
2. Il dort sous (devant) le poêle.
3. J'ai fait cela pour lui.
4. Elle a été absente pendant deux mois.
5. Elle est gentille envers les animaux.
6. Tu nous rencontreras devant le Louvre.
7. Il va vers nous.
8. Il est né avant Jean.
9. Il est mort pendant la guerre.
10. Oui, il se dévoue pour elle.
11. Oui, elle a été malade pendant un an.
12. Je suis arrivé avant elle.

Unit 23

Exercice 1.
1. En Angleterre.
2. En Allemagne.
3. En Italie.
4. Au Canada.
5. A Québec.
6. En Nouvelle-Ecosse.
7. Au Manitoba.
8. Au Mexique.
9. Aux Etats-Unis.
10. D'Angleterre.
11. De France.
12. A Paris.
13. A Montréal.
14. Du Mexique.
15. D'Italie.
16. A Toronto.
17. A Vancouver.
18. Au Japon.
19. En Chine.
20. En Europe.

Test
Exercice 1.
1. Elle est à Québec.
2. J'habite au Canada (*also* le Canada).
3. Nous irons à Paris.
4. Il revient de France.
5. Il fait beau à Vancouver.
6. Elles passent leurs vacances en Italie.
7. Nous irons au Québec.
8. Ils reviennent de Québec.
9. J'ai beaucoup d'amis aux Etats-Unis.
10. Il va en France.
11. Elle, elle va au Mexique.
12. Je vais passer une semaine à Montréal.
13. Il revient du Canada.

14. Nous revenons d'Italie.
15. J'aime l'Histoire de France.
16. Je vais à Toronto.
17. Ils voyagent en Espagne.
18. J'ai étudié en Europe.
19. Elles reviennent des Etats-Unis.
20. Elle va au Japon.

Exercice 2.
1. Il arrive à minuit.
2. Il parle de son travail.
3. Il part dans cinq minutes.
4. Je suis né en dix-neuf cent soixante.
5. Il fait beau en été.
6. C'est le livre de Marguerite. (C'est à Marguerite.)
7. Il apprend à parler.
8. Il désire du café au lait.
9. Elles sont à l'église.
10. Il est à la banque.
11. Non, je préfère une tasse de café.
12. Oui, il est plus âgé de cinq ans.
13. Oui, ils commencent à comprendre.
14. Je vais écrire cela au tableau.
15. Ils se promènent dans la rue.
16. Il est né avant (après) sa sœur Jeanne.
17. Je fais ce travail pour toi.
18. Je me tournerai vers le mur.
19. J'ai étudié le français pendant deux ans.
20. Ça, c'est d'après un grand peintre italien.

Unit 24
Exercice 1.
1. Je sors jeudi soir.
2. Je quitte la maison de mon père.
3. Je laisse mes enfants avec vous.
4. Je sors à six heures.
5. Je laisse ces gants dans la voiture.
6. Je sors de la classe à cinq heures.
7. Je sors maintenant.
8. Je sors du bureau de poste.
9. Je sors le mouchoir de ma poche.
10. Je quitte Montréal à huit heures.

Unit 25
Exercice 1.
1. C'est Louise.
2. C'est lui.
3. C'est celui-ci.
4. Ce sont les étudiants.
5. C'est Hélène.
6. C'est le Louvre.
7. Ce sont mes amis.
8. C'est un médecin.
9. C'est un bon professeur.
10. C'est le plus grand de la ville.

Exercice 2.
1. Elle est jolie.
2. Il est dans sa chambre.
3. Il est là.
4. Il est à Montréal.
5. Oui, ils sont gentils.
6. Il est professeur.
7. Il est médecin.
8. Ils sont intéressants.

Exercice 3.
1. C'est notre amie.
2. Il est sportif.
3. Il est en ville.
4. Il est professeur.
5. C'est la Sorbonne.
6. Il est médecin.
7. C'est une bonne actrice.
8. C'est mon amie.
9. Elle est intelligente.
10. Ce sont eux.

Exercice 4.
1. C'est nécessaire.
2. C'est curieux.
3. Elle est belle.
4. C'est impossible.

5. C'est merveilleux.
6. Il est intelligent.
7. C'est magnifique.
(il est if *it=the book*)
8. C'est agréable.
9. Il est là.
10. C'est intéressant.

Test
Exercice 1.
1. Il est français.
2. Il est deux heures.
3. C'est une Française.
4. Il est né au Canada.
5. C'est au Canada qu'il est né.

Exercice 2.
1. Je désire sortir jeudi soir.
2. Je désire quitter la maison de son père.
3. Je désire laisser mes enfants avec leurs grand-parents.
4. Je désire sortir à six heures et demie.
5. Je désire laisser ma valise ici.
6. Je désire sortir de la classe à cinq heures.
7. Je désire sortir maintenant.
8. Je désire quitter la ferme pour toujours.
9. Je désire sortir d'ici.
10. Je désire laisser mon auto dans la cour.
11. Je désire sortir tout de suite.
12. Je désire sortir dimanche matin.
13. Je désire partir demain matin.
14. Je désire quitter la maison de bonne heure.
15. Je désire laisser mon manteau dans le corridor.
16. Je désire toujours partir du même endroit.
17. Je désire laisser mes devoirs sur ton bureau.
18. Je désire partir samedi prochain.
19. Je désire quitter le banquet de bonne heure.
20. Je désire laisser mes gants dans mon auto.

Unit 26 (no exercises)

Unit 27
Exercice 1.
1. Je réponds à la question du professeur.
2. Je parle français.
3. J'étudie les langues.
4. Je finis mon devoir.
5. Je choisis un chapeau neuf.
6. Je chante bien.
7. Je commence la lecture.
8. Je vends ces bonbons à bon marché.

Exercice 2.
1. Nous étudions le français.
2. Nous parlons français couramment.
3. Nous ouvrons la porte.
4. Nous partons pour la France.
5. Nous dormons mal.
6. Nous recevons des nouvelles de nos amis.
7. Nous mangeons au restaurant tous les jours.
8. Nous lisons des romans français.
9. Nous envoyons un cadeau à un ami.
10. Nous vendons des légumes.
11. Nous attendons un ami.
12. Nous appelons notre chien.

Exercice 3.
1. Ils achètent des cadeaux.
2. Ils mangent des gâteaux.
3. Ils cèdent leurs places aux femmes.
4. Ils lancent des pierres à l'eau.

5. Ils mènent une vie intéressante.
6. Ils sèment le blé.
7. Ils téléphonent chez leurs amis.
8. Ils jettent l'ancre à l'eau.
9. Ils s'asseyent (s'assoient) sur le vieux banc de l'école.
10. Ils font trop de bruit.

Exercice 4.
1. Veux-tu faire une promenade avec nous?
2. Manges-tu des frites?
3. Espères-tu venir avec tes amis?
4. Commences-tu à comprendre?
5. Envoies-tu des cartes de Noël à tes amis?
6. Appelles-tu ton chien Médor?
7. Préfères-tu manger ou dormir?
8. Reçois-tu des nouvelles de ton amie?
9. Peux-tu nous accompagner?
10. Mènes-tu une vie tranquille?

Exercice 5.
1. Très bien, tu commences à comprendre.
2. D'accord, tu préfères ce cours.
3. Quoi, tu n'achètes pas de cadeaux de Noël?
4. Bien entendu, tu cèdes ton siège au vieillard.
5. Bien entendu, tu jettes tes vieilles chaussures au feu.
6. Bien sûr, tu manges beaucoup d'oranges.
7. Evidemment, tu mènes une vie tranquille.
8. Ah bon, tu espères aller en France cet été.
9. Apparemment, tu fais tes devoirs tous les soirs.
10. Heureusement, tu règles toujours tes comptes à la fin du mois.

Unit 28

Exercice 1.
1. Il gagnait sa vie en s'amusant.
2. Tu as appris à lire en lisant.
3. Il est tombé en allant à l'école.
4. On vit longtemps en étant heureux.
5. Il a souri en apprenant la nouvelle.
6. Elle chantait en faisant son travail.
7. Il est sorti en entendant ces mots.
8. On apprend à danser en dansant.
9. On réussit en se cassant un peu la tête.
10. Il donna l'ordre en sortant.

Exercice 2.
1. C'est une jeune fille charmante.
2. C'est un diamant brillant.
3. Ce sont des feuilles tremblantes.
4. C'est un monsieur amusant.
5. C'est une journée fatigante.

Exercice 3.
1. Etant professeur, elle voulait enseigner.
2. Etant paresseux, ils ne veulent pas travailler.
3. Voulant réussir, il étudie.
4. Sachant nos leçons, nous voulons nous amuser.
5. N'étant pas riches, elles travaillent fort.
6. Voyant mes fautes, je les ai corrigées.
7. Croyant ce qu'il a entendu, il l'a répété.
8. En apprenant la nouvelle, il s'en est allé.
9. Comprenant bien les explications, elle a réussi.
10. Ne sachant pas le français, nous faisions beaucoup de fautes.

Unit 29

Exercice 1.
1. Alors, buvons de la limonade.

2. Alors, allons à la piscine.
3. Alors, allons en classe.
4. Alors, travaillons plus fort.
5. Alors, mangeons des bonbons.
6. Alors, conduisons moins vite.
7. Alors, allons-y tout de suite.
8. Alors, écoutons bien sa chanson.
9. Alors, amusons-nous bien.
10. Alors, jouons au tennis.

Exercice 2.
1. Buvez donc votre café pendant qu'il est encore chaud.
2. Fermez donc la porte de la grange.
3. Ecoutez donc attentivement le disque.
4. Attendez-nous donc à la sortie.
5. Parlez donc lentement et distinctement.
6. Choisissez donc un cadeau pour nous.
7. Achetez donc un billet de théâtre pour nous.
8. Croyez donc ce que nous disons.
9. Conduisez donc moins vite.
10. Allez-y donc.

Exercice 3.
1. Ne mange donc pas.
2. Ne sors donc pas.
3. Ne cours donc pas.
4. Ne bois donc pas.
5. Ne ferme donc pas la fenêtre.
6. Ne crie donc pas si fort.
7. Ne perds donc pas ta balle.
8. Ne fais donc pas de grimaces.
9. Ne t'assieds (t'assois) donc pas sur le divan neuf.

Unit 30

Exercice 1.
1. Oui, mais auparavant il parlait seulement anglais.
2. Oui, mais autrefois il lisait un roman.
3. Oui, mais d'habitude elle admirait son ami.
4. Oui, mais d'habitude vous étudiiez le français.
5. Oui, mais autrefois elle ne savait que l'anglais.
6. Oui, mais autrefois ils étaient toujours malades.
7. Oui, mais autrefois il pleuvait rarement.
8. Oui, mais autrefois vous étiez encore en Angleterre.

Exercice 2.
1. Je dormais quand il est entré.
2. Je sortais de la classe quand il est arrivé.
3. Je servais le repas quand il est arrivé.
4. Je mangeais du gâteau quand il est arrivé.
5. Je buvais du thé quand il est arrivé.
6. Je me levais quand il est arrivé.
7. J'étudiais quand il est arrivé.
8. J'ouvrais la porte quand il est arrivé.
9. Je m'asseyais (m'assoyais) dans le fauteuil quand il est arrivé.
10. J'accueillais mes amis quand il est arrivé.

Exercice 3.
1. Vous parliez quand elle a téléphoné.
2. Vous regardiez la télévision quand elle a téléphoné.
3. Vous laviez la vaisselle quand elle a téléphoné.
4. Vous vous reposiez quand elle a téléphoné.
5. Vous écriviez une lettre quand elle a téléphoné.
6. Vous preniez un bain quand elle a téléphoné.
7. Vous étudiiez vos leçons quand elle a téléphoné.
8. Vous faisiez vos devoirs quand elle a téléphoné.
9. Vous lisiez le journal quand elle a téléphoné.
10. Vous travailliez quand elle a téléphoné.

Exercice 4.

1. Si j'étudiais, je réussirais.
2. Si vous couriez, vous tomberiez.
3. S'il sortait, il verrait ses amis.
4. S'il pleuvait, nous nous reposerions.
5. Si tu parlais, il t'écouterait.
6. Si nous travaillions, nous réussirions.
7. Si tu riais, il se fâcherait.
8. Si elles écrivaient, nous leur répondrions.
9. Si elle prenait un billet, elle irait sans doute.
10. Si tu lui permettais, il entrerait.

Exercice 5.

1. Elle était heureuse en Alberta.
2. Il était malade hier.
3. Il faisait beau hier.
4. Elle était habillée en bleu.
5. Il faisait chaud hier matin.
6. Elle dansait tous les soirs.
7. Il était ici depuis un mois quand il a rencontré son vieil ami.

Exercice 6.

1. Autrefois, il parlait anglais.
2. Auparavant, elle ne sortait pas.
3. Auparavant, vous écoutiez des disques français.
4. D'habitude, vous veniez voir vos parents.
5. D'habitude, vous étiez au gymnase.
6. Souvent, il achetait des cadeaux pour sa femme.
7. D'habitude, elles prenaient du thé.
8. D'habitude, elle se tenait debout même pour écouter.
9. Souvent, tu voulais y aller sans moi.
10. Autrefois, vous vous amusiez mal.

Unit 31

Exercice 1.

1. Mais oui, bien sûr, il a toujours bien chanté.
2. Mais oui, bien sûr, elle a toujours fait de son mieux.
3. Mais oui, bien sûr, vous avez toujours répondu à ses lettres.
4. Mais oui, bien sûr, j'ai toujours parlé à Lucille.
5. Mais oui, bien sûr, elles ont toujours acheté des fleurs.
6. Mais oui, bien sûr, nous avons toujours connu Pierre.
7. Mais oui, bien sûr, il s'en est toujours allé (il s'est toujours en allé).
8. Mais oui, bien sûr, j'ai toujours pris l'autobus.
9. Mais oui, bien sûr, je me suis toujours couvert la tête.
10. Mais oui, bien sûr, elle est toujours partie de bonne heure.

Exercice 2.

1. Mais elle est déjà descendue du train.
2. Mais ils ont déjà envoyé de l'argent à leurs parents.
3. Mais nous avons déjà écrit à nos amis.
4. Mais nous avons déjà bu notre café.
5. Mais j'ai déjà répondu à sa lettre.
6. Mais elle est déjà allée en France.
7. Mais elles sont déjà sorties ce soir.
8. Mais ils ont déjà acheté des escargots.
9. Mais vous avez déjà lu ce roman.
10. Mais j'ai déjà envoyé un télégramme à Robert.

Exercice 3.

1. Lui aussi, il a écrit une lettre à ses parents.
2. Moi aussi, je suis resté à la maison le samedi.
3. Toi aussi, tu as chanté une chanson anglaise.
4. Vous aussi, vous êtes descendus du train sans délai.
5. Moi aussi, je me suis assis par terre.
6. Nous aussi, nous avons acheté des pommes de la Colombie Britannique.
7. Vous aussi, vous avez pris votre temps.
8. Nous aussi, nous avons cueilli des roses.
9. Nous aussi, nous sommes allés au lycée Montcalm.
10. Moi aussi, j'ai reçu des nouvelles de Jean.
11. Eux aussi, ils ont vu la carte de France.
12. Moi non plus, je n'ai pas bu de café.
13. Elle aussi, elle a connu mon frère.
14. Nous aussi, nous avons bien dormi.
15. Moi aussi, j'ai fait de mon mieux.
16. Moi aussi, j'ai beaucoup aimé Québec.
17. Nous aussi, nous avons étudié le français.
18. Nous aussi, nous avons appelé notre chien Médor.
19. Eux non plus, ils n'ont pas mené une vie tranquille.
20. Elle aussi, elle a jeté une pièce de monnaie dans la fontaine.

Exercice 4.

1. Tu as écrit une lettre.
2. Tu as reçu une lettre de Paul.
3. Tu es arrivé de bonne heure.
4. Tu as vu un film.
5. Tu es venu juste à temps.
6. Tu as chanté une belle chanson.
7. Tu as parlé à Alphonse.
8. Tu es allé à Winnipeg.
9. Tu as acheté des tomates.
10. Tu es resté à la maison.
11. Tu as fini le devoir.
12. Tu es descendu de bonne heure.
13. Tu as coupé la corde.
14. Tu es sorti tard.
15. Tu es entré malgré lui.

Exercice 5.

1. Elle a lu le journal.
2. Elle a parlé français.
3. Elle a acheté des romans.
4. Elle a fait une promenade.
5. Elle a descendu la malle.
6. Elle a lavé la vaisselle.
7. Elle a payé le marchand, n'est-ce pas?
8. Elle s'est lavée.
9. Elle s'est lavé les mains.
10. Elle s'est coupé le doigt.
11. Elle s'est habillée avant les autres.
12. Elle s'est levée de bonne heure.
13. Elle est sortie sans rien dire.
14. Elle est allée au Manitoba.
15. Elle a fini de lire le livre.
16. Elle est venue nous voir pendant les vacances.
17. Elle est descendue sans délai.
18. Elle est morte à l'âge de cent ans.
19. Elle a écrit à ses amis.
20. Elle a vu le lever du soleil.

Exercice 6.

1. Mais cette photo, je l'ai déjà vue.
2. Mais ce monsieur, je l'ai déjà rencontré.
3. Mais ce journal, je l'ai déjà lu.
4. Mais cette facture, je l'ai déjà payée.
5. Mais ces roses, je les ai déjà achetées.
6. Mais ce devoir, je l'ai déjà fait.
7. Mais cette malle, je l'ai déjà descendue.
8. Mais ce trophée, je l'ai déjà vu.
9. Mais ce bureau de poste, je l'ai déjà visité.
10. Mais ces stylos, je les ai déjà employés.

Exercice 7.

1. Oui, nous en avons déjà gagné.
2. Oui, nous en avons déjà acheté.
3. Oui, nous en avons déjà bu.
4. Oui, nous en avons déjà trouvé.
5. Oui, nous en avons déjà lu.
6. Oui, nous en avons déjà commandé.
7. Oui, nous en avons déjà envoyé.
8. Oui, nous en avons déjà reçu.

Exercice 8.
1. Je les ai fait écrire une lettre.
2. Je les ai fait parler plus fort.
3. Je les ai fait répéter la phrase.
4. Je les ai fait écouter la musique.
5. Je les ai fait étudier leur leçon.

Exercice 9.
1. Mais non, elle les a déjà commandées.
2. Mais non, elles les ont déjà vus.
3. Mais non, je les ai déjà regardées.
4. Mais non, elle les a déjà lues.
5. Mais non, je les ai déjà vendues.

Exercice 10.
1. Elle aussi, elle a vu les soldats ce matin.
2. Elle aussi, elle lui a fait lire sa leçon.
3. Lui aussi, il y est allé hier soir.
4. Elle aussi, elle lui a donné une pomme.
5. Elles aussi, elles se sont lavé les mains.
6. Elle aussi, elle est descendue du grenier.
7. Elles aussi, elles se sont levées de bonne heure.
8. Eux aussi, ils sont arrivés tôt.

Unit 32

Exercice 1.
1. La voiture s'arrêta au coin de la rue où il y avait un accident.
2. Un jeune homme sortit de cette voiture et offrit son aide.
3. La blessé sourit et refusa de croire que tous ces soins étaient nécessaires.
4. Elle ne se sentait pas mal et se demanda pourquoi un tel geste de la part de ce jeune homme.
5. Il faisait très froid et tous les spectateurs comprirent.
6. Un homme appela un taxi.
7. Le taxi arriva, la jeune fille monta dans l'auto et le conducteur la transporta chez ses parents.
8. Le père, surpris, regarda sa fille, examina ses blessures et l'emmena chez le médecin.
9. Le médecin vit qu'elle souffrait et lui donna des médicaments.
10. Un peu rétablie, elle retourna chez elle d'où, le lendemain, elle téléphona au jeune homme et lui fit ses excuses. Le jeune homme profita de cet appel pour . . .

Unit 33

Exercice 1.
1. Oui, je me lave toujours les mains.
   Non, je ne me lave jamais les mains.
2. Oui, nous nous couchons toujours tard.
   Non, nous ne nous couchons jamais tard.
3. Oui, il s'endort toujours.
   Non, il ne s'endort jamais.
4. Oui, nous nous en allons toujours.
   Non, nous ne nous en allons jamais.
5. Oui, je me baigne toujours.
   Non, je ne me baigne jamais.
6. Oui, elle se couche toujours tard.
   Non, elle ne se couche jamais tard.

Exercice 2.
1. Oui, nous nous sommes toujours levé(e)s tôt.
   Non, nous ne nous sommes jamais levé(e)s tôt.
2. Oui, ils se sont toujours battus.
   Non, ils ne se sont jamais battus.
3. Oui, elles se sont toujours lavées.
   Non, elles ne se sont jamais lavées.
4. Oui, elles se sont toujours vues.
   Non, elles ne se sont jamais vues.
5. Oui, il s'est toujours excusé.
   Non, il ne s'est jamais excusé.

Exercice 3.
1. Alors, repose-toi.
2. Alors, tais-toi.
3. Alors, promène-toi.
4. Alors, habillez-vous.
5. Alors, arrêtez-vous.

Unit 34

Exercice 1.
1. Bon, demain tu parleras français.
2. Bon, demain tu ouvriras le colis.
3. Bon, demain ils commenceront à écrire.
4. Oui, et demain je finirai le roman.
5. Oui, et demain nous étudierons le français.
6. Oui, et demain je laverai les couteaux.
7. Oui, et demain nous entendrons du jazz.
8. Oui, et demain il se sentira beaucoup mieux.
9. Oui, et demain elles souffriront du mal de gorge.
10. Oui, et demain ils dormiront plus tard.
11. Oui, et demain il nous croira davantage.
12. Très bien, et demain il comprendra l'italien.
13. Bon, demain ils prendront le bateau.
14. Bon, demain tu conduiras l'autobus.
15. Oui, et demain je vivrai mieux.
16. Bon, demain tu appelleras un ami.
17. Très bien, demain il achètera des dictionnaires.
18. Bon, demain elle se lèvera tard.
19. Bon, demain ils appelleront Justin.
20. Bon, mais demain vous partirez tôt.

Exercice 2.
1. Tu viendras le voir? Mais c'est une bonne idée.
2. Tu iras chez Jean? Mais c'est une bonne idée.
3. Tu seras à Montréal la semaine prochaine? Mais c'est une bonne idée.
4. Ils y iront? Mais c'est une bonne idée.
5. Elles enverront de l'argent à leurs fils? Mais c'est une bonne idée.
6. Vous viendrez pour sa fête? Mais c'est une bonne idée.
7. Elle le fera? Mais c'est une bonne idée.
8. Il se lèvera de bonne heure? Mais c'est une bonne idée.
9. Ils achèteront des haricots? Mais c'est une bonne idée.
10. Vous vivrez à la campagne? Mais c'est une bonne idée.

Exercice 3.
1. Elles aussi, elles vont acheter beaucoup de robes.
2. Nous aussi, nous allons parler français.
3. Elle aussi, elle va bien s'amuser.
4. Moi aussi, je vais venir lundi prochain.
5. Nous aussi, nous allons dormir tard.
6. Eux aussi, ils vont aller en ville ce soir.
7. Moi aussi, je vais étudier le français.
8. Moi aussi, je vais conduire la voiture.
9. Vous aussi, vous allez parler au professeur.
10. Elles aussi, elles vont parler à François.
11. Lui aussi, il va appeler un ami.
12. Elle aussi, elle va acheter une voiture.
13. Nous aussi, nous allons préférer un roman.
14. Elle aussi, elle va régler ses comptes.
15. Elle aussi, elle va se lever.

Exercice 4.

1. Bon, tu dormiras quand tu auras sommeil.
2. D'accord, il partira quand il voudra.
3. Bon, elle se lèvera dès qu'elle sera reposée.
4. D'accord, vous irez lorsque vous arriverez au collège.
5. Bon, ils sortiront aussitôt qu'ils pourront.
6. D'accord, je marcherai lorsque j'irai en ville.
7. Oui, bien sûr, je répondrai à sa lettre dès que j'aurai le temps.
8. Bon, il chantera tant qu'il sera capable.
9. Evidemment, il rira quand il entendra cette histoire.
10. Evidemment, il viendra lorsqu'il finira ses devoirs.
11. Bien sûr, vous réussirez tant que vous travaillerez.
12. Parfait, tu iras quand il fera beau.
13. Ah bon, tu iras en France aussitôt que tu sauras le français.
14. Bien sûr, il sera trop tard lorsqu'il le trouvera.
15. Parfait, tu me chercheras dès que tu arriveras à Toronto.

Unit 35

Exercice 1.

1. Il a dit que Suzanne finirait ce roman demain.
2. Il a dit qu'il viendrait dimanche prochain.
3. Il a dit que tu pourrais y aller.
4. Il a dit qu'elle achèterait une nouvelle robe.
5. Il a dit que vous feriez un voyage en France.
6. Il a dit que nous prendrions un bateau français.
7. Il a dit que Georges boirait un verre de lait.
8. Il a dit que vous parleriez français avant deux mois.
9. Il a dit que je téléphonerais à mon ami.
10. Il a dit que tu prendrais l'avion ce soir.
11. Il a dit qu'il cèderait sa place.
12. Il a dit qu'il choisirait un poème de Victor Hugo.

Exercice 2.

1. Si Eugène travaillait, il serait heureux.
2. Si Jacques parlait français, il comprendrait ses amis.
3. S'il faisait beau, il irait.
4. S'il pouvait, il courrait.
5. Si elle avait le temps, elle viendrait.
6. Si vous étiez chez vous, vous seriez content.
7. Si tu avais du pain, tu mangerais.
8. S'ils avaient le temps, ils travailleraient dans le jardin.
9. Si tu pouvais, tu sortirais.
10. S'il était riche, il pourrait voyager à l'étranger.
11. Si tu étais malade, tu te coucherais.
12. Si c'était nécessaire, ils boiraient.
13. S'il vous invitait, vous iriez.
14. Si tu avais des fraises, tu lui en donnerais.
15. Si tu mangeais trop, tu serais malade.

Exercice 3.

1. Il dit: "Venez si vous avez le temps."
2. Il dit: "Viens si tu peux."
3. Il dit: "J'achète des choses si j'ai de l'argent."
4. Il dit: "Il viendra si elle est chez elle."
5. Il dit: "Entrez si vous voulez."
6. Il dit: "Sortez si vous pouvez."
7. Il dit: "Parle-lui si tu le vois."
8. Il dit: "Je suis content si j'ai des amis."
9. Il dit: "Je serai à l'aise si je parle français."
10. Il dit: "Je l'achèterai si vous le vendez."

Exercice 4.

1. Pourrais-tu venir demain?
2. Pourrais-tu parler plus vite?
3. Pourrais-tu attendre?
4. Pourrais-tu m'expliquer ce paragraphe?

5. Pourrais-tu faire un plus grand effort?
6. Pourrais-tu entrer tout de suite?
7. Pourrais-tu faire moins de bruit?
8. Pourrais-tu me donner une tasse de thé?
9. Pourrais-tu tourner à droite?
10. Pourrais-tu attendre jusqu'à demain?

Unit 36

Exercice 1.

1. Non, mais j'aurai fini mon devoir avant l'arrivée du professeur.
2. Non, mais il sera sorti ce soir.
3. Non, mais nous y serons allés avant Noël.
4. Non, mais nous l'aurons reçu avant notre départ.
5. Non, mais elle l'aura vu avant la soirée.

Exercice 2.

1. Aussitôt que j'aurai mangé, j'irai au bal.
2. Quand je serai sorti, je parlerai à la jeune fille.
3. Dès que nous aurons appelé nos amis, nous irons au bal.
4. Quand elle aura dansé, elle se reposera.
5. Aussitôt que je l'aurai vue, je l'inviterai au bal.
6. Dès que nous serons sortis, nous irons au cinéma.
7. Aussitôt que j'aurai écouté, je dirai au revoir.
8. Dès qu'ils auront chanté, il s'en iront.
9. Quand nous serons entrées, nous nous amuserons.
10. Aussitôt qu'elles auront fini leur devoir, elles iront chez Jeanne.

Exercice 3.

1. Mais non, j'avais parlé quand elle est entrée.
2. Mais non, nous étions partis quand il est entré.
3. Mais non, j'étais sorti quand elle est venue.
4. Mais non, il avait déjeuné quand elle est arrivée.
5. Mais non, elle était entrée quand il est arrivé.

Exercice 4.

1. J'étais allé en France et j'avais rencontré beaucoup d'amis quand il est arrivé.
2. Nous étions arrivés au restaurant et nous avions commencé à manger quand il est entré.
3. Ils étaient venus au Canada et ils avaient fait beaucoup d'amis quand leur mère est arrivée.
4. Elle était partie pour la France et elle avait rencontré plusieurs jeunes gens quand son fiancé est arrivé.
5. J'étais arrivé au cinéma et j'avais vu une partie du film quand une bombe a éclaté.

Exercice 5.

1. Oui, s'il avait pu, il serait entré.
2. Oui, si elle avait voulu, elle serait venue.
3. Oui, si tu avais parlé français, tu aurais été à l'aise.
4. Oui, si tu avais eu des amis, tu aurais été heureux.
5. Oui, si tu avais été riche, tu aurais voyagé.
6. Oui, si vous aviez chanté, ils vous auraient écouté.
7. Oui, si nous avions eu de l'argent, nous l'aurions acheté.
8. Oui, si elle avait eu le temps, elle serait venue.
9. Oui, s'il avait fait beau, nous serions sortis.
10. Oui, si j'avais chanté, tu m'aurais écouté.

Unit 37

Exercice 1.

1. Je doute qu'il soit heureux.
2. Je suis heureux que vous soyez contents.
3. Il est temps qu'il guérisse.
4. Je suis heureux que la guerre finisse.

5. Il est bon qu'elles entendent de bonnes nouvelles.
6. Je suis content qu'ils viennent avec elles.
7. Il est temps qu'ils aient de la chance.
8. Je suis heureux qu'elles soient contentes.
9. Que Dieu vous bénisse vous aussi.
10. Il est douteux qu'il vienne.

Exercice 2.
1. Il faut qu'il parle anglais.
2. Il est impossible qu'elle sorte.
3. Il se peut qu'il meure bientôt.
4. Il est douteux qu'elle revienne du Québec.
5. Il est bon qu'elle puisse venir demain.
6. Il est nécessaire qu'ils fassent de leur mieux.
7. Il semble qu'il soit nécessaire.
8. Il est rare qu'il y aille sans lui.
9. Il est évident qu'il fera beau demain.
10. Est-il sûr qu'ils partent sans moi?
11. Je suis content qu'ils étudient plus fort.
12. Il a ordonné que tu sortes immédiatement.

Exercice 3.
1. Je suis heureux qu'il vienne.
2. Son père est content qu'il lui rende visite.
3. Je regrette beaucoup que vous soyez en retard.
4. Je suis heureux que vous ayez réussi.
5. J'ai peur que vous soyez malade.
6. Je crains qu'il ait (n'ait) mal à la tête.
7. Je regrette qu'il pleuve.
8. Elle doute qu'il m'achète un cadeau de Noël.
9. Son professeur est content qu'il fasse bien son devoir.
10. Je suis étonnée qu'il connaisse ce garçon.
11. Il est nécessaire qu'elle y aille.
12. Il vaut mieux que vous vous reposiez.

Exercice 4.
1. Il est évident que je suis malade.
2. Elle sait que je viendrai demain.
3. Est-il sûr que nos cousins viennent?
4. Je crois qu'il viendra.
5. Je ne crois pas qu'il puisse venir.
6. J'espère qu'il viendra.
7. Espérez-vous qu'il pleuve?
8. Il est possible qu'il réussisse.
9. Je doute qu'il coure.
10. Pensez-vous qu'il soit malade?

Unit 38

Exercice 1.
1. Il y a un livre sur la table.
2. Il fait chaud ce matin.
3. Il faisait froid hier.
4. Aujourd'hui il fait du soleil.
5. Il faisait jour quand il arriva.
6. Il vaut mieux venir tôt.
7. Il y·aura beaucoup de monde sur le bateau.
8. Y a-t-il beaucoup de livres sur le pupitre?
9. Levez-vous! Il fait jour.
10. Il gèle et il neige.
11. Il est venu il y a deux mois.
12. Il semble qu'il fût malade.
13. Il fera froid ce soir.
14. Il y a un homme à la porte.

Exercice 2.
1. Il fait chaud en été.
2. Il fera froid cet hiver.
3. Il neigera demain.

4. Il faisait froid (Il a fait froid) l'hiver dernier.
5. Il gèlera ce soir.
6. Il pleuvait (a plu) ce printemps.
7. Il grèle en ce moment.
8. Il y avait de la neige ce matin.
9. Y a-t-il de la neige sur le toit?
10. Il fait du soleil aujourd'hui.

Unit 39

Exercice 1.
1. Oui, la leçon est préparée.
2. Oui, l'auto est vendue.
3. Oui, la fenêtre est ouverte.
4. Oui, la lettre est brûlée.
5. Oui, la lecture est finie.

Exercice 2.
1. Et demain, il sera publié.
2. Et demain, il sera fermé.
3. Et demain, elle sera ouverte.
4. Et demain, ils seront reposé
5. Et demain, elles seront répa

Exercice 3.
1. Oui, il a été empêché de sortir.
2. Oui, ils ont été excusés d'assister.
3. Oui, ils ont été envoyés le chercher.
4. Oui, on le lui a demandé.
5. Oui, ils ont été invités à danser.
6. Oui, on le lui a appris.

Exercice 4.
1. Oui, on aime sa mère.
2. Oui, on battra l'équipe.
3. Oui, on a mangé le gâteau.
4. Oui, on a attrapé les voleurs.
5. Oui, on a expédié les colis.

Exercice 5.
1. Son chat s'appelle Minou.
2. Le café se vend à un prix élévé aujourd'hui.
3. L'anglais ne se parle pas ici.
4. Ces livres se vendent partout.
5. On nous a dit de partir.

Unit 40

Exercice 1.
1. Sais-tu son adresse?
2. Connais-tu sa femme?
3. Sais-tu où elle habite?
4. Sais-tu si elle est chez elle?
5. Connais-tu sa fiancée?
6. Sais-tu pourquoi il est absen
7. Sais-tu où il est?
8. Sais-tu parler français?
9. Sais-tu si elle fait du ski?
10. Connais-tu Montréal?

Exercice 2.
1. Je connais Jeanne et je sais qu'elle est belle.
2. Je connais la France et je sais qu'elle est pittoresque.
3. Je connais ce jeune homme et je sais qu'il est beau.
4. Je sais qu'il est gentil et je sais qu'il danse bien.
5. Je connais Robert et je sais pourquoi il vient.
6. Je connais Jacques et je sais qu'il fait du ski.
7. Je sais que Robert est riche et je sais comment il dépense son argent.
8. Je sais qu'elle est charmante et je sais où elle habite.
9. Je sais qu'il est là et je sais pourquoi il est là.
10. Je connais ce visiteur et je sais à quelle heure il arrive.

Exercice 3.
1. Alors, tu connais Rimouski.
2. Alors, tu sais ta leçon.
3. Alors, tu sais conduire la voiture.
4. Alors, tu connais le Premier Ministre.
5. Alors, vous le connaissez.
6. Alors, tu le connais.

7. Alors, il connaît René.
8. Alors, elle sait danser.
9. Alors, tu connais ce monsieur.
10. Alors, tu connais Québec.

Unit 41

Exercice 1.
1. Demain matin ils iront au magasin de bonne heure.
2. Il désire que nous fassions notre devoir immédiatement.
3. Jean, écoute-moi.
4. Ils travaillaient pendant que je jouais.
5. Si je pouvais, je le ferais.
6. Si tu es là, nous te verrons sûrement.
7. Aussitôt que j'arriverai, je me présenterai au guichet.
8. J'espère qu'il viendra.
9. Ils vous appelleront ce soir.
10. Dès qu'il arrivera, j'irai le rencontrer.
11. Ils viennent nous voir la semaine prochaine.
12. Je le fais (ferai), si je peux.
13. Il faut que tu t'achètes une paire de bas.
14. Voulez-vous qu'il vienne avec nous?
15. J'espérais que vous seriez ici pour ma fête.

Exercice 2.
1. Il faut que nous fassions bien nos devoirs.
2. Elle servait le repas pendant que nous causions.
3. J'ai dit: Levez-vous!
4. Elle est morte l'année dernière.
5. Il est né (naquit) en dix-sept cent cinquante.
6. Elle a dû perdre son temps.
7. Louis connaît ce garçon, mais il ne sait pas son nom.
8. Je lui enverrai cette lettre demain.
9. Il lirait sa composition si tu le lui demandais.
10. Jean est content que vous partiez seul.
11. Si cela en vaut la peine, j'irai le voir.
12. Ils lui ont offert leurs services.
13. Il aimerait vivre en France.
14. J'ai acheté des romans français pour mon frère.
15. Il pleuvra demain, j'en suis sûr.

Exercice 3.
1. Je vous le promets, je serai là mardi prochain.
2. Ce livre ne vaut rien en ce moment.
3. Elles ont mangé leur pain sans se plaindre.
4. Il faut que nous l'appelions de bonne heure.
5. Il a dû bien faire.
6. Dites, savez-vous parlez français maintenant?
7. Je l'ai vue entrer.
8. Taisez-vous!
9. Il aimerait vivre en paix.
10. S'il te plaît, envoie-moi une pipe.
11. Elle est née tout près de Montréal.
12. Si tu ouvrais la porte, j'entrerais.
13. Il a fui devant l'ennemi.
14. Il aurait pu venir si nous lui avions demandé.
15. Je me demande si j'ai (j'aurai) le temps d'y aller.

Exercice 4.
1. J'espère qu'il donnera le livre à l'étudiant.
   J'espérais qu'il donnerait le livre à l'étudiant.
2. J'espère qu'elle dormira bien.
   J'espérais qu'elle dormirait bien.
3. J'espère qu'elles iront en Europe.
   J'espérais qu'elles iraient en Europe.
4. J'espère que vous appellerez le chien Médor.
   J'espérais que vous appelleriez le chien Médor.

5. J'espère que vous mangerez des gâteaux.
   J'espérais que vous mangeriez des gâteaux.
6. J'espère qu'il fera beau.
   J'espérais qu'il ferait beau.
7. J'espère que tu sortiras tous les soirs.
   J'espérais que tu sortirais tous les soirs.
8. J'espère qu'il courra vite.
   J'espérais qu'il courrait vite.
9. J'espère que vous serez sages.
   J'espérais que vous seriez sages.
10. J'espère que tu auras beaucoup d'amis dans l'ouest du Canada.
    J'espérais que tu aurais beaucoup d'amis dans l'ouest du Canada.
11. J'espère que vous irez en ville.
    J'espérais que vous iriez en ville.
12. J'espère qu'ils s'en iront.
    J'espérais qu'ils s'en iraient.
13. J'espère que tu étudieras très fort.
    J'espérais que tu étudierais très fort.
14. J'espère qu'il sera toujours sage.
    J'espérais qu'il serait toujours sage.
15. J'espère qu'elle mettra sa robe neuve.
    J'espérais qu'elle mettrait sa robe neuve.
16. J'espère qu'il ira à Windsor.
    J'espérais qu'il irait à Windsor.
17. J'espère qu'il verra son ami.
    J'espérais qu'il verrait son ami.
18. J'espère qu'ils achèteront des fleurs.
    J'espérais qu'ils achèteraient des fleurs.
19. J'espère qu'il jettera de l'eau sur le feu.
    J'espérais qu'il jetterait de l'eau sur le feu.
20. J'espère qu'elle pourra y aller.
    J'espérais qu'elle pourrait y aller.

Exercice 5.
1. Il a conduit la voiture?
2. Marie est arrivée de bonne heure?
3. Il a plu fort?
4. Vous avez envoyé le cadeau à Jeanne?
5. Vous avez été gentils envers eux?
6. Tu as écrit à ta sœur?
7. Il a connu la France?
8. Hélène a reçu des nouvelles de Michel?
9. Elle a ouvert la porte?
10. Il a craint un accident?
11. Elles ont fait leurs devoirs?
12. Vous avez souhaité la paix?
13. Tu as bien compris?
14. Le bébé a refusé la bouteille?
15. Vous avez pris le train pour Québec?
16. Il a toujours ri avec tel enthousiasme?
17. L'enfant s'est tu avant de s'endormir?
18. Il a mené son cheval à l'écurie?
19. Tu as acheté des confitures?
20. Elle est venue rendre visite à ses amis?

Exercice 6.
1. Hier, tu t'es couché tard?
2. Hier, il s'est réveillé à six heures?
3. Hier, elle est sortie avec son ami Jacques?
4. Hier, ils se sont reposés après le dîner?
5. Hier, il a bien joué?
6. Hier, ils se sont amusés dans la cour?
7. Hier, vous vous êtes dépêchés de sortir?
8. Hier, elle a bien chanté?
9. Hier, tu as parlé français à ces conférenciers?

241

10. Hier, vous avez eu de la chance?

Exercice 7.
1. On apprend à chanter en chantant.
2. On apprend à lire en lisant.
3. On apprend à travailler en travaillant.
4. On apprend à étudier en étudiant.
5. On apprend à conduire en conduisant.
6. On apprend à danser en dansant.
7. On apprend à traduire en traduisant.
8. On apprend à écrire en écrivant.
9. On apprend à discuter en discutant.
10. On apprend à jouer à la balle en jouant à la balle.

Exercice 8.

1. J'ai vu	Nous avons vu
2. J'ai su	Nous avons su
3. J'ai servi	Nous avons servi
4. J'ai mis	Nous avons mis
5. J'ai reçu	Nous avons reçu
6. Je suis venu(e)	Nous sommes venu(e)s
7. J'ai senti	Nous avons senti
8. J'ai suivi	Nous avons suivi
9. J'ai couvert	Nous avons couvert
10. J'ai fait	Nous avons fait
11. J'ai pris	Nous avons pris
12. Je suis descendu	Nous sommes descendu(e)s
J'ai descendu	Nous avons descendu (+ a direct object)
13. Je suis mort(e)	Nous sommes mort(e)s
14. Je me suis assis	Nous nous sommes assis(e)s
15. J'ai ouvert	Nous avons ouvert
16. Je suis né(e)	Nous sommes né(e)s
17. J'ai cru	Nous avons cru
18. Je suis resté(e)	Nous sommes resté(e)s
19. J'ai eu	Nous avons eu
20. Je me suis levé(e)	Nous nous sommes levé(e)s
21. Je suis parti(e)	Nous sommes parti(e)s
22. Je suis sorti(e)	Nous sommes sorti(e)s
23. J'ai ri	Nous avons ri
24. J'ai fini	Nous avons fini
25. J'ai dû	Nous avons dû

Exercice 9.

1. ris	rions	riez
2. tiens	tenons	tenez
3. viens	venons	venez
4. fais	faisons	faites
5. crois	croyons	croyez
6. bois	buvons	buvez
7. cueille	cueillons	cueillez
8. dis	disons	dites
9. assieds-toi	asseyons-nous	asseyez-vous
assois-toi	assoyons-nous	assoyez-vous
10. sache	sachons	sachez
11. va-t'en	allons-nous-en	allez-vous-en
12. lève-toi	levons-nous	levez-vous
13. suis	suivons	suivez
14. cours	courons	courez
15. pars	partons	partez
16. sors	sortons	sortez
17. va	allons	allez
18. envoie	envoyons	envoyez
19. achète	achetons	achetez
20. jette	jetons	jetez
21. mène	menons	menez
22. mange	mangeons	mangez
23. lance	lançons	lancez
24. appuie	appuyons	appuyez
25. apprends	apprenons	apprenez

Test

Exercice 1.
1. Bon, fais tes devoirs.
2. Bon, buvez du café.
3. Bon, cueille des roses dans ton jardin.
4. Bon, allez-y ensemble.
5. Bon, viens de bonne heure pour la soirée.
6. Bon, parlez français pendant le repas.
7. Bon, va à Montréal cet été.
8. Bon, rentrez de bonne heure.
9. Bon, chante une chanson française.
10. Bon, raconte une histoire.
11. Bon, vas-y.
12. Bon, allez à la conférence.
13. Bon, cours vite.
14. Bon, vends-en aux touristes.
15. Bon, finissez vos courses.

Exercice 2.
1. Je vous verrai lundi prochain.
2. Nous sommes allé(e)s à l'école hier.
3. Il lui écrivait une lettre quand je suis arrivé.
4. Elle est morte (mourut) en janvier 1960.
5. Il faut que nous étudiions ce texte.
6. Je désire voir votre devoir.
7. S'il fait beau, nous irons au cinéma.
8. Il a répondu qu'il ne pouvait pas venir.
9. Voici la lettre qu'elle écrivait(a écrite) à sa mère.
10. Il est tombé en entrant dans le métro.
11. Va-t'en!
12. Nous buvions du lait tous les jours.
13. Parlez-moi de votre visite en France.
14. Il faut que je sache où il est.
15. Vas-y!
16. S'il écoutait, il entendrait ce que tu dis.
17. Je désire acheter un chandail.
18. Il faisait beau hier matin.
19. Elle s'est couchée à minuit hier soir.
20. Sois sage, ma petite!
21. Demain matin, ils se lèveront tôt.
22. Que faisiez-vous auparavant?
23. Il faut que je m'achète un chandail.
24. En faisant de son mieux, on arrive.
25. J'espère qu'ils viendront pour la soirée.
26. En attendant je vais lire le journal.
27. S'il neige, nous ferons du ski.
28. Mais faites ce que vous voulez.
29. Cette chanson a été chantée par René Simard.
30. Ils lui offriront un poste.
31. Voulez-vous me voir maintenant?
32. Je pense qu'il viendra avec elle.
33. Demain matin, il se lèvera à six heures.
34. Mange un bon repas.
35. L'année dernière elle était heureuse.

Index

Test Score Profile

Date	Tests		Page	Possible Score	Score
	1.	The Article	7	100	
	2.	The Partitive and Interrogative	15	100	
	3.	Adjectives—Plural of Nouns and Adjectives	37	100	
	4.	Personal Pronouns	51	100	
	5.	Interrogative Adjectives and Pronouns	57	100	
	6.	Demonstrative Adjectives and Pronouns	63	100	
	7.	Possessive Adjectives and Pronouns— Relative Pronouns	74	100	
	8.	Formation of Adverbs	81	100	
	9.	Comparison of Adjectives and Adverbs	92	100	
	10.	Negation	97	100	
	11.	Prepositions	106	100	
	12.	*Partir, Quitter, Sortir, Laisser, Il est, C'est*	115	100	
	13.	Formation and Uses of Tenses	188	100	

Total Score　　　　　　　　　　*Possible Score*　1300